COLLECTION MONDE NOIR POCHE

sous la direction de Jacques Chevrier

D0231288

La carte d'identité

Jean-Marie Adiaffi

(roman)

ISBN 2-7473-0249-0

1

- C'est bien toi, Mélédouman (*soit : «je n'ai pas de nom», ou exactement : «on a falsifié mon nom»*) ?

- Oui, c'est bien moi, le prince Mélédouman.

- Prince ! prince ! Qu'est-ce qu'il ne faut pas entendre... Eh bien, suis-moi au cercle, prince, prince de la principauté de mon cul !

Prince ou pas, Mélédouman savait par expérience ce qu'«aller au cercle» veut dire dans cette «encerclée» colonie. Aussi risqua-t-il :

- Mais, mon commandant, vous suivre pourquoi ? Qu'ai-je fait de mal ? Je suis un planteur ; je cultive mes terres. Je n'ai fait de tort à personne.

- Tes terres ! Tes terres ! Ah ! ah ! Laisse-moi rire. Qui te les a attribuées ?

- Ce sont les terres de mes ancêtres fondateurs de ce royaume : le royaume de Bettié. C'est pourquoi je les travaille avec courage, amour et honnêteté.

- Cela n'a aucune espèce d'importance. *D'ailleurs tu serais bien le premier nègre courageux et honnête, famille royale ou pas. Laisse-moi t'admirer. En effet, l'espèce du nègre courageux et honnête est tellement rare qu'il faudrait l'exposer dans un musée zoologique, non sans l'avoir décoré avant de le vouer à l'adoration religieuse de son illustre tribu. Tout le monde sait ici qu'un animiste n'en est pas plus à un dieu qu'à une femme près.*

On adore bien les animaux, les plantes, les arbres, les serpents, les montagnes, les pierres, les fleuves et leurs génies ! Bref, n'importe quoi. A plus forte raison le pre-

mier saint nègre vertueux. En attendant ta canonisation par le premier pape noir, cher prince adoré, suis-moi gentiment au cercle, un point c'est tout !

Ne cherche surtout pas à comprendre. Au reste, as-tu les capacités intellectuelles pour comprendre quoi que ce soit ? Chacun sait ici que blanchir l'intelligence d'un nègre, c'est perdre sa lessive.

- Vraiment ! Pas possible. Vous avez des idées sublimes sur les Noirs...

- Suffit, suis-moi.

- Je suis un honnête citoyen.

- Toi citoyen ! Toi citoyen ! Individu que tu es ! Indigène ! Tu te fous de moi. Toi citoyen, un malheureux comme ça. Moi qui connais la France. Médaille militaire. Caporal deuxième classe. Moi été le doudou des Blanches. Toi citoyen, où on a vu ça ? Si ce n'est pas à Bettié...

Coupant le récit par trop épique des campagnes imaginaires ou réelles de notre héros combattu, Tartarin de Tarascon noir, qui accompagnait le commandant blanc, Mélédouman fixa le Blanc :

- Mais enfin, mon commandant ! Pouvez-vous me dire ce dont je suis accusé ?

- Hé ! toi là, attention à toi ! Tu veux encore la chicotte aux fesses, indigène, cabri, où on a vu ça ?

- Je voudrais qu'on m'explique les chefs d'accusation...

- Chef quoi ! Chef, chef, toi chef, où est ton galon ?

- Au premier chef tu es coupable, répond alors le commandant. Cela suffit, non ? Alors, trêve de questions, suis-moi.

- Non, je suis innocent, je ne vous suivrai pas.

- Suis-moi donc innocemment au cercle, saint Innocent.

- Innocent ! Innocent ! Où on a vu ça ? Je t'en foutrai

des innocents. Eh, toi là, tu te prends vraiment pour un saint nègre, cochon malade.

- Mais enfin, mon commandant, ai-je le droit de savoir ce dont je suis accusé, oui ou non, insista Mélédouman, sans plus s'occuper du pauvre arlequin, du pauvre pantin qui essayait tant bien que mal de jouer un rôle injouable. Et qui le jouait avec un talent tragicomique, un talent furieux, comme les fréquentes bastonnades en témoignaient. Pauvre Mélédouman, c'était lui qui payait les notes par trop élevées de l'addition des coups de cet appétit frustré, Mélédouman qui était le dindon farci de cette table quelque peu faisandée.

- C'est moi qui pose les questions, répliqua le commandant, sans prêter la moindre attention à la masse bastonnante de plus en plus enragée de son fébrile compagnon, toujours écartelé entre la tragédie et la comédie.

- Contente-toi d'obéir. C'est tout ce que l'on te demande pour le moment. Tu vois bien que ce n'est pas grand-chose...

- Obéir, obéir, toujours obéir. Enfin, vous défoncez ma porte. Vous vous introduisez chez moi sans crier gare. Vous me mettez les fers aux pieds, les menottes aux poignets. Vous me battez comme un sac de riz. Après cela, il faut que j'obéisse. Que je me taise. Que je ne cherche pas à comprendre... Tout de même !

- Exactement. Pour une fois tu as bien compris. Il faut que tu obéisses et que tu te taises devant moi, sinon...

- Sinon quoi ? Celui qui est tombé dans l'eau n'a plus peur de la pluie. Regardez-moi... regardez ma porte défoncée, alors...

- N'exagérons rien. Ta porte défoncée... Cette vieille planche vermoulue qui ne tient que par le miracle des toiles d'araignée, tu appelles ça une porte ? Et ça une maison ! dit-il en montrant du doigt la maison de Mélédouman avec un index impérial et une moue méprisante, ça cette espèce de porcherie médiévale, tu appelles ça une maison ! *En matière d'architecture on voit bien que vous n'êtes vraiment pas difficiles. Le moins que l'on puisse dire, c'est que vous avez des goûts très approximatifs, pour ne pas dire primitifs. Quant aux notions de meuble et de confort, il vaut mieux dormir debout, surtout avec les histoires que vous me racontez.*

Toujours calme, serein et digne, malgré la pluie diluvienne qui tombait sur lui, Mélédouman répondit par un autre proverbe agni :

- Le poulailler est un palais doré pour le coq malgré la puanteur des lieux. D'ailleurs la question n'est pas là.

- Je suis le premier à en convenir.

- Bien ! Alors la question, c'est de quoi je suis accusé.

- Personne ne vous accuse de quoi que ce soit, mon princier ami.

- Ça en a l'air ! Mais je ne comprends rien à votre histoire. A quoi jouez-vous ? De quoi suis-je accusé ?

- Mais c'est une obsession ! Encore une fois personne ne t'accuse.

- Et ça, ces jolis ornements à mes pieds, ces jolis bracelets à mes poignets. C'est des bijoux pour mon anniversaire peut-être ? Merci donc pour ces beaux cadeaux en or massif. Je voudrais quand même que vous m'expliquiez malgré mon idiotie congénitale ce qui me vaut tous ces honneurs ce matin. Vous comprenez, je n'y suis pas habitué. Excusez-moi.

- Hé ! Hé ! Qui s'excuse, s'accuse.

- D'accord ! D'accord !

- Enfin te voilà devenu sage et raisonnable. Je le savais. Tu te prépares donc gentiment afin que nous partions. Et commence par te débarrasser de cette saleté de pagne puant. Garde, donne-lui des vêtements.

- Bien, mon commandant.

- Tiens, prends cette veste et ces chaussures. Après tu pourras mettre ce magnifique pantalon. Touche-le comme il est soyeux. Quelle différence avec ton espèce d'écorce rugueuse qui n'est même pas capable de protéger décemment tes grosses couilles de nègre !

- Je vois que vous avez tout prévu. Même un déguisement de carnaval. Et vous appelez pagne puant ce riche kita. N'est-ce pas... Je vous remercie beaucoup de votre gentillesse. Mais je préfère garder ma saleté de pagne puant. Quand on a le sexe mort et qu'on ne peut plus faire l'amour, on s'en sert encore pour uriner. Je demande seulement une explication. Vous m'infligez le plus humiliant des traitements devant ma famille. Vous soutenez que je ne suis pas accusé. Je n'ai pas non plus le droit de demander des explications. Je dois tout subir. Un seul droit et un seul devoir : me taire et vous suivre au cercle les yeux fermés. Il faut le faire.

- Qu'est-ce que je vous avais dit, mon commandant ? Ces indigènes-là ne comprennent que la chicotte. Plus vous les chicottez et mieux ils se portent. Moi je les connais, ces individus. Moi Kan Anaholé (*Dis la vérité* : c'est le nom donné aux instruments de torture des gardes coloniaux. Ceux-ci ont fini par se l'attribuer comme un petit nom glorieux de leur pouvoir).

Joignant une fois de plus le geste à la parole, notre garde-floco (nom peu glorieux que les Noirs ont donné pendant les travaux forcés à leurs plus terribles bourreaux, les gardes, ces anciens combattants sanguinaires aux chéchias rouges de margouillats, cruels et impitoyables comme les cangaceiros. Ils étaient à la solde inconditionnelle des commandants de cercle. Floco veut dire : celui qui n'est pas circoncis, donc un idiot, un lourdaud, un homme vil, un va-nu-pieds, un fils de chien, un pauvre bâtard qui ne comprend vraiment rien à rien. D'où

7

la terrible association vengeresse : garde-floco). Notre garde-floco donc, fit une démonstration fort éloquente de la découverte de sa vie, une théorie indigente sur l'art de dompter par la chicotte ces indomptables indigènes, ses frères. Bêtes féroces, bêtes préhistoriques en voie de développement. Lui, à n'en point douter, il avait déjà dépassé cette phase primitive. Lui, l'irréprochable garde-floco à la belle chéchia rouge comme la calotte d'un cardinal. Peureux qui voudrait tant faire peur aux autres. Notre garde-floco saigna donc ce Noir tellement à blanc que celui-ci perdit connaissance et sa belle couleur d'ébène.

- C'est bon. Tu ne vas tout de même pas le tuer.
- Bien, mon commandant.
- Maintenant, fous-le à poil. Fous-lui de l'eau sur sa gueule pour lui rafraîchir les idées. Ensuite mets-le dans la jeep. Qu'on foute le camp d'ici avant que ça ne sente mauvais.

2

Bien, mon commandant.

Pour montrer sa force, le garde-floco souleva l'homme étendu à terre parmi les flaques d'eau et de sang avec un seul bras, tel un sac de coton. En un tournemain, il le déshabilla, imperturbable, insensible aux pleurs des femmes, aux cris et aux lamentations pitoyables de la famille suppliante.

- Nanan Yaki, Nanan Yaki, à cause de Dieu. Pitié, pitié, pitié. Yaki, à cause de Dieu, de la terre et du ciel.

- Pitié, pitié, à cause de Dieu, pardon, pardon.

Les deux mains tressées en croix de ronces, les femmes priaient Dieu, et les hommes qui, sur terre, possèdent pour l'heure son pouvoir.

- Tu n'es pas un garçon, mon vieux. C'est tout ce qui te reste. Je me demande comment tu te débrouilles avec tes nombreuses femmes. Tu es sûr que tes nombreux enfants t'appartiennent tous, à toi seul ? Enfin, allons, c'est ton problème, ce n'est pas le mien.

Si le garde-floco voulait faire de l'esprit par ce sarcasme de mauvais goût, il dut être profondément déçu, car la foule accourue pour consoler la famille éplorée lui répondit par un silence glacial et digne. Furieux de voir tous ces indigènes sans esprit, ces indigènes incultes qui ne rient même pas à des répliques aussi finement spirituelles, apprises dans les casernes françaises, Floco donna quelques coups de chicotte au hasard dans la foule qui se scinda, pour se reconstituer aussitôt, comme l'eau après un coup d'épée, ce qui le rendit encore plus furibond. Il bondit donc au reflux de cette marée humaine. Mais hélas, il arriva trop tard, à marée basse. Il échoua donc pitoyablement sur un tapis d'épines ashanti : ces méchantes et hypocrites herbes à l'aspect velouté, mais pleines d'épines et qui donnent des gales et de sanguinolentes démangeaisons aux fesses. Chose curieuse, notre garde-floco, malgré sa taille colossale, ne parvenait point à impressionner la foule, cet oiseau-mouette impénitent qui s'obstinait à lui désobéir, à se foutre constamment de sa gueule. Surtout quand il se grattait partout comme un singe, après son bain de foule, ses plongeons héroïques qui firent la joie des spécialistes de la natation terrestre, hors piscine.

Ici les vrais spécialistes ce sont les enfants. Ah ! ces enfants terribles ! Ils n'en pouvaient plus. Ils riaient comme des dingues. Ils riaient des singeries de notre floco. Car on eût dit notre colosse pithèque venu là pour un concours de beauté avec les gorilles, les « botimo ». Il a beau jouer au terrible, au cruel, au sanguinaire avec sa chéchia couleur sang, ancien combattant, personne ne sait trop pourquoi tout le monde rit. On n'arrive pas à le prendre au sérieux. Ou plutôt tout le monde sait pourquoi : il est d'un comique irrésistible. Ses ergotages puérils, son air de coq en chaleur qui tourne autour d'une poule frigide, ses énormes mollets enrubannés aux couleurs nationales, sa large ceinture de femme enceinte à jeun autour de sa taille qui bedonne créaient une impression bouffonne qui vous sautait au nez dès la première rencontre.

Et les enfants désœuvrés trouvaient là l'occasion unique de transgresser tabous, totems, jeux interdits : sadisme, crime contre l'État, l'autorité tournée en dérision, outrage à agent en fonction. Seuls les enfants gardaient encore le sens de l'humour qui convenait à la situation. Ce sont ces singeries qui les poussèrent à donner à notre floco le surnom envié de Gnamien Pli (Gros Dieu). Les démons d'ailleurs, comme toujours mali-

10

cieux, insistaient beaucoup plus sur le Pli (Gros) que sur le Gnamien (Dieu).

Quant au commandant, l'imagination populaire, comme chacun sait, si fertile et si cocasse dans l'art difficile de donner des noms caricaturaux adéquats aux bourreaux, l'avait affublé de plusieurs étranges médailles, non sur sa dangereuse poitrine, mais dans son inoffensif dos. Des légions de déshonneurs secrets. D'abord, Assié Bosson, qui est le méchant génie de la forêt. Puis, Lokossué, qui est un fétiche particulièrement terrible, impitoyable, cruel. Et quand on sait la cruauté exceptionnelle de tout fétiche, on peut aisément deviner ce que peut être leur poids lourd, champion toutes catégories. Ensuite, Kakatika, qui lui resta. Ah ! Kakatika ! Outre la sonorité nauséabonde, empuantie, merdière et emmerdante des premières syllabes, cela veut dire « monstre géant ». Dans l'imagerie populaire et cosmogonique agni, on soutient qu'il existait, avant l'arrivée des habitants actuels du pays, des géants monstrueux, poilus comme l'araignée et d'un sadisme de vampire. Mais en ce qui concerne notre cher cercle de Bettié, quand on prend la peine d'admirer la taille de pygmée de son superbe commandant, on ne peut s'empêcher, en remarquant l'ironie de la situation, de sourire en coin, même si l'on vient de perdre sa mère.

En effet, court sur pattes comme une chèvre à terme, avec des bras énormes qui annonçaient, vingt-quatre heures à la ronde, l'arrivée du corps et des pieds de notre commandant Kakatika vénéré, ce qui était une excellente chose pour les administrés terrorisés qui préparaient leur garde-à-vous mécanique, sa petite tête d'oiseau rapace, ses yeux de chouette, le commandant Kakatika, Lapine de son vrai nom familial, genre viril et martial, n'avait vraiment pas la tête du métier, le métier de l'autorité. Il faut pour se consoler, si d'aventure on a l'âme chagrine, convenir que le garde-floco Gnamien Pli et le commandant Kakatika Lapine formaient un beau couple, un couple réussi. Kakatika et Gnamien Pli étaient irrésistibles. Quand ils se promenaient ensemble, ce qui arrivait souvent, nécessité professionnelle oblige, ils faisaient la joie des habitants qui, il faut l'avouer, ont le rire facile. On eût dit un gorille en colère qui promenait son fils adoptif, un nain, et, qui plus est, se trouvait quelque peu albinos. C'était un couple à l'allure martiale et coloniale. Croix et bannière. Maréchal-ferrant et menottant, prompt au ferrement.

- On peut partir, oui ou non ? s'inquiéta brusquement le commandant Kakatika, sans doute las des singeries de son compagnon Gnamien Pli.

- Bien, mon commandant.

Mais, comme pour faire durer le spectacle, la jeep refusa de démarrer. Pan, ouin, ouin... Pan, ouin, ouin... Pan, ouin, ouin... Rien à faire. Pourtant le réservoir est plein d'essence. C'est tout de même curieux. Du point de vue mécanique et moteur, la jeep n'a aucun défaut. Elle sort du garage. Tout a été vérifié. Alors quoi ? Les bougies, le carburateur, le delco avaient fait l'objet de vérifications minutieuses. Et pourtant. Pan, ouin, ouin, pan, ouin, ouin, pan, ouin, ouin ! Va comprendre quelque chose. C'est tout simplement fantastique. Surnaturel. Ah ! cette Afrique, cette insondable Afrique ! Gouffre de peine, d'efforts et d'intelligence. Et les spectateurs follement superstitieux, qui interprètent les moindres signes comme étant fastes ou néfastes, s'en donnent à cœur joie. Ils commençaient à louer la puissance extraordinaire du djibô de Mélédouman, l'intervention magique des ancêtres. Ces deux puissances conjuguées avaient donc bloqué le moteur. Force était de pousser la jeep. Mais qui dans cette contrée est assez téméraire pour affronter les forces invisibles qui se

12

manifestent avec cette visible évidence? Comme par miracle donc, en un clin d'œil, tous les vivants, tels les ancêtres et les génies, devinrent invisibles. Notre garde-floco Gnamien Pli, pourtant si puissant, dépassé par les événements, en bon Africain, malgré son séjour glorieux et héroïque en France, commençait à se poser quelques questions inquiétantes, en se faisant sans doute l'écho secret de son muet compagnon blanc. Ah! l'Afrique! l'incompréhensible, l'irrationnelle Afrique! La raison y perdra toujours son latin et son grec. Et si génies, fétiches, ancêtres avaient raison, détenaient réellement un pouvoir surnaturel, que la science des Blancs ignorait? Ayant perdu confiance en lui-même, Gnamien Pli, bon gré mal gré, dut exercer ses muscles pour faire bouger la maudite voiture de cette place frappée de malédiction. Même le commandant Kakatika n'était pas sans avoir quelques inquiétudes malgré son apparente assurance face aux étranges événements qui se déroulaient sous ses yeux tout de même stupéfaits. Celui-ci n'avait cessé de poser des questions à son compagnon africain.

- Qu'est-ce qu'ils disent... Qu'est-ce qu'ils disent dans cette saloperie de patois primitif?...

- Des choses terribles et terrifiantes.

- Mais qu'est-ce qu'ils font? Mais qu'est-ce qu'ils se racontent... Mais, mais, qu'est-ce qui se passe là-bas?

- Mon commandant, il se passe des choses vraiment étranges.

En effet, au détour du petit sentier pierreux bordé de cocotiers et de palmiers qui mène à la maison de Mélédouman, avait surgi la danse sacrée de purification «Momomé». Les femmes nues, le visage bariolé de kaolin blanc et de terre rouge, exécutaient des mouvements bizarres du torse, des cuisses et des mains. Elles sont terribles avec leur cri de fauve blessé, de tigresse en rut. Des torches de soleil dans la gueule. Des flammes de soleil à la main, pour l'incendie et la fonte de toutes les chaînes rouillées du monde. Elles se griffent avec violence le visage, cheveux hirsutes, corps sanglants. Elles s'accouplent en imitant le mouvement de l'acte sexuel avec perfection. A intervalles réguliers, elles se couchent les unes sur les autres, en faisant mine de se pénétrer à l'aide d'un phallus monumental en érection, attaché aux tailles de celles qui représentent les mâles. Elles prenaient plusieurs positions possibles. Les «femelles» courbées comme si elles faisaient des buttes d'igname, les fesses joliment arrondies. Les «mâles» passaient derrière elles en assouplissant leurs reins chauds et leurs seins palpitants. «Ils» invoquaient, coït faisant, le ciel et les génies tutélaires des foyers et de la terre souillée. Avec le soleil qui joue sur les perles étincelantes autour des tailles et la couleur rouge des kodjos, les cache-sexes allumés, elles sont terribles, ces femmes purificatrices de la terre profanée, des foyers souillés par des mains impures, des pieds impies.

- Mais qu'est-ce que c'est que ces danses de sauvages? s'inquiéta sérieusement le commandant Lapine Kakatika qui n'avait ni l'esprit ni le temps d'apprécier la beauté et la souplesse de toutes ces femmes nues sous l'immense ciel embrasé.

- Mon commandant, c'est une mauvaise danse, une danse de diablesses, de démons, de satan. Une danse qui sort de l'enfer pour damner la terre. C'est une danse qui porte malheur!

- Quel malheur? Quel malheur?

- Mon commandant, tous les malheurs du monde. Allons-nous-en d'ici, vite, vite!

Encore fallait-il que la maudite jeep immobilisée l'entendît de cette oreille. Pour comble de malheur, le soleil, qui, après la pluie matinale, plombait la nature parmi l'essaim de grosses mouches noires et de charognards, comme par miracle, se métamorphosa de nouveau en lames bouillantes, métalliques. Avec une violence si soudaine que les gouttes acérées cinglaient comme des flèches trempées les quelques passants non initiés, des allogènes pour la plupart (car cette danse sacrée des femmes est interdite aux hommes).

- Les menottes, cria Kakatika, de sa cabine où il s'était réfugié.

- Bien, mon commandant.

- Allez, vite... Grouille-toi, vite! Grouille-toi, grouille-toi.

- Bien, mon commandant.

- Je te dis d'enlever les menottes au prisonnier pour qu'il te donne un coup de main.

A travers la foudre et les éclairs, sourd, Gnamien Pli demanda :

- Mon commandant, un coup de pied au prisonnier ?

- Coup de main... Enlève les menottes au prisonnier pour qu'il te donne un coup de main. Coup de pied! Coup de pied! Tu ne voudrais pas le mien dans le cul par hasard ?

Mais le prisonnier, fier comme Artaban, refusa de descendre sous cette pluie battante, encore plus de donner quelque coup que ce soit : pied, main ou épée. Au reste, les flammes que les yeux de Mélédouman lançaient dans le silence de sa colère réprimée en disaient assez long sur la férocité de sa détermination. Kakatika, à regret, dut abandonner cette idée géniale : utiliser le prisonnier pour filer à l'anglaise. Non sans maugréer.

- Tu ne perds rien pour attendre. Ce qu'à coup sûr tu perdras tout à l'heure, c'est ta superbe, ton arrogance et ta fierté de prince nègre.

Mais commandant Kakatika n'est décidément pas au bout de ses peines et des choses étranges. En effet, pendant que par la vitre arrière le commandant appréciait

du regard la prestance, la majesté des gestes du prisonnier, comme poussée par une force invisible, la jeep
démarra toute seule. Et, comme une grande, elle s'en
allait en tanguant joliment, assourdissante, dans une
gerbe d'étincelles, de fumée, de poussière rouge et de
pétarades bleues. D'abord cahin-caha, puis lancée au
galop, elle fonçait irrésistiblement sur les badauds impé-
nitents cachés dans les buissons pour voir comment ces
étranges histoires allaient s'arranger à la fin. Ceux-ci
n'eurent que le temps de quelques bonds de sauterelles,
qui dans les fossés tumultueux, qui dans les flaques
d'eau, qui dans la gueule du voisin tombé à la renverse.
On comprend sans peine, dans ces conditions, le cri ven-
geur de la foule sortie de sa cachette pour lancer des
quolibets et des plaisanteries paillardes à l'endroit de
l'héroïque équipe.
    - Babié, roudé, dangadé, foufafou, ta mère con
pourri.
    Quant au garde-floco Gnamien Pli, après une course
haletante pour rattraper la filante voiture devenue auto-
matique, il se hissa dangereusement à l'arrière de la
mystérieuse machine, ceinte de grappes de boue, d'herbes, ornée de forêts, de savanes, de steppes arrachées au
paysage pour un camouflage problématique de sa vieillesse, de ses grincements de dents et de ferraille. Cette
héroïne fatiguée allait tenter une dernière fois encore
l'escalade de la colline résidentielle.
    Avec cette pluie et le téléguidage improvisé, nul ne
pouvait garantir le succès de cette aventure aussi téméraire que périlleuse.

3

Bettié est constitué de deux quartiers principaux, comme toutes les villes coloniales : le quartier européen et le quartier indigène. Les deux quartiers se tournent le dos pour éviter de se regarder dans les yeux, rendus farouches par deux volontés opposées : volonté de puissance, rêve de domination, folie des grandeurs et des sommets. Rêve de gloire, vertige des cimes d'une part, et d'autre part volonté de libération du cauchemar, de l'enfer des abîmes et des marécages. Le quartier indigène, là-bas, enterré dans le cloaque de la terre, dans les fanges et marais sous l'œil vigilant des moustiques, des charognards, des hyènes, des chacals. Insalubre. Immonde. Il gît pêle-mêle dans le désordre empuanti de cadavres d'animaux : chèvres, cabris, poulets gonflés, de chaussures paillardes qui ont traîné toutes les misères du monde, ouvertes au coït du ciel et de la terre, fatiguées des mille pas insensés qui ne menaient pas à la puissance du monde et de son sel, lasses des va-et-vient inutiles à la fin, suicidaires. Des os, des carapaces archéologiques de tortues géantes, des têtes de crocodiles, de caïmans aux gueules ouvertes sur des dents effrayantes, mordant le vide, la mort et la misère noire. Des masques au bout de leur voyage mystérieux et mystique ; des masques au bout de la nuit et du jour, qui ont échoué là, dans l'amas hétéroclite, formé par tous les dieux anciens que la boue et la paille ont noués pour la prière posthume aux mânes sourds à la souffrance, au destin de fer de ses fils en sursis, des statuettes délestées de leur parure de noce. La pluie équatoriale, dont on connaît l'humeur querelleuse et belliqueuse, expédiait tout cela en un régulier convoi martial sur la gueule ouverte des habitants, sur toutes les faims, les soifs, les impatiences, les maladies et les violences du monde.

C'est ici, dans cet enfer, dans cette cité damnée, que pour la première fois, Dieu pleura. Prit pitié des hommes. Eut envie lui-même de faire l'aumône. D'être charitable. Oui, c'est à Bettié que Dieu pleura pour la première et peut-être la dernière fois. A chaudes larmes. C'est dans cette contrée sortie de l'imagination satanique de Lucifer que Dieu comprit les athées. Il avoua l'imperfection de sa création. Admit en conséquence qu'on ne l'aimât pas, ou qu'on le niât ; qu'on le reniât, révolté. Il comprit ici dans ce cercle infernal, démoniaque, aux souffrances surhumaines, il comprit la profondeur de la misère de sa création. Ses enfants lamentablement coincés entre le ciel bas qui menace de tomber à l'instar des masures nauséabondes penchées au bord d'un gouffre invisible, mais qui existe bel et bien. Imitation contestable et inesthétique de la tour de Pise. Et la terre, une terre de malédiction. Cette maudite terre qui se dérobe sous ses pas, emportée par tous les cataclysmes et volcans que vous savez. Lesquels sonnaient à votre porte, tranquillement, sereinement, tous les matins, pour vous annoncer la livraison à domicile de la prochaine saison apocalyptique et la violence du désir humain. Oui, oui, Dieu comprit et dénonça l'injustice chronique qui sévit comme une épidémie. Dénonça l'existence insupportable du mal sur la terre. Oui, c'est ici que Dieu comprit qu'après la grande patience des hommes, la surhumaine patience, l'inhumaine résignation, l'insupportable patience millénaire des exploités, des humiliés, est venu le temps de la sienne : recommencer comme Sisyphe sous son rocher. Recommencer à zéro le jeu mystérieux, aride, absurde de la création du monde. Cette fois, pas de précipitation, pas d'improvisations, de décisions hâtives : l'enjeu est terrifiant. La création de l'homme créateur. La liberté de l'homme. La joie de l'homme. Le bonheur de l'homme. Cette fois donc quatorze jours francs. Quatorze nuits franches. Sept jours de méditation, le dimanche inclus : pas de repos. Et avec la participation de l'homme, le premier concerné : il s'agit de sa liberté, de son destin ; car l'homme a fini par comprendre qu'il ne faut plus laisser Dieu œuvrer tout seul. Créer le monde tout seul quels que soient son génie et son intelligence. L'aridité et la complexité de la tâche sont au-dessus de ses seuls moyens, de ses forces.

La preuve, il a failli en mourir. Sept jours de conclave préalable. Sept jours de grands travaux pratiques. Avec les moyens techniques que l'homme va mettre à sa disposition, il aura lui-même la puissance de transformer enfin ce monde mal foutu, de transformer un peu ce monde à l'image du quartier blanc perché sur le sommet des collines olympiennes. Champs-Élysées et Falaise d'Albâtre. Cité des dieux. Site touristique enchanteur avec une divine vue panoramique sur la Comoé et ses cascades d'argent. La pluie faisait tous les jours le ménage en vidant en bas, sur le quartier indigène, ses ordures, ses déchets de toutes sortes. Poubelles historiques où s'enchevêtraient les boîtes de conserve éventrées, les poulets rôtis, les tampax, les biftecks saignants, les poissons braisés au feu de bois, les belles cuisses de grenouilles et les cœurs en pierre avec lesquels on construisait les monuments aux morts quotidiens pour anonymes héros connus. Les deux quartiers sont reliés par le calvaire journalier de la montée et de la descente indigène. Corvée et travaux forcés à la résidence et jardin paradisiaque. Éden des carottes pourpres, des laitues d'argent, des papayes, des oranges, des mangues d'or. Chemin de croix journalier des tuberculeux haletants, aux jambes frêles d'argile, aux pieds durs comme la corne, qui marchandent à cor et à cri chaque nouveau pas aléatoire. Et ce n'étaient pas les foulards des femmes noués en couronnes d'épines autour des têtes hérissées, cheveux de ronces et tresses de fer, pour se protéger contre les scies d'un soleil d'enfer, qui arrêteraient l'abondante moisson de sueur et de sang, récoltée par les dieux domestiques pour conserver, comme par miracle, la pitoyable vie, après cette dure épreuve. Femmes, hommes, enfants et vieillards, ayant vainement tiré tous les diables par leur queue, au purgatoire, les appelaient maintenant, les imploraient pour allumer le feu de l'enfer afin qu'on en finisse une fois pour toutes avec cette affreuse pénitence.

Quand ce jour-là, ce jour mémorable, étrange, dans ce matin blême et pluvieux, la magique jeep du commandant Kakatika, son zouave de compagnon Gnamien Pli et son princier prisonnier jouaient aux alpinistes du diable, du chaos, de l'apocalypse vers la cime glorieuse semée de graviers immaculés, de cocotiers langoureux, de palmiers musiciens et d'oiseaux aux voix de luth, vers l'apothéose coloniale enguirlandée de boue et de lumière, qui aurait osé parier sur eux une mèche de cheveux ? Pour Mélédouman, le moment était venu de faire son testament. De réfléchir sur tout ce qui venait de se passer, sur son incompréhensible arrestation. Que d'événements ! Que d'événements ! Sa tête était en ébullition. Allait-elle éclater, le cerveau éparpillé, semé aux quatre vents, pour nourrir les oiseaux du ciel, comme les graines cueillies des racines de la terre ? Des graines récoltées de la tempête, des naufrages, des crues torrentielles et des légendes encore vivantes. Où commencer quand on n'a aucune prise sur un monde vidé de son cœur ? De son battement millénaire ? De son rythme d'antan ? Qu'est-ce que tout cela signifie ? Qu'a-t-il fait ? Vraiment il n'en a aucune idée. Bizarre ! Bizarre ! Étrange ! Étrange ! D'autant plus bizarre et étrange qu'avec l'arrivée de Kakatika, malgré sa poigne, sa main de fer, son fascisme, une certaine justice, une certaine paix commençait de régner sur Bettié. Les arrestations arbitraires avaient cessé et chacun pouvait jouir d'un certain bonheur, d'une certaine joie de vivre, pour autant que cela fût possible sous un régime colonial d'airain. Pour autant qu'une situation fondamentalement injuste et inhumaine pût rendre de temps en temps la justice. Pût de temps en temps avoir un visage humain. Oui, chacun vaquait tranquillement, paisiblement à ses affaires, dans une certaine mesure. Tout est relatif. Car, malgré son racisme épidermique, Kakatika était ce qu'on pouvait appeler un commandant paternaliste. Il se croyait le père de tous les Noirs — qui aime bien châtie bien —, il croyait dur comme fer, dur comme son administration, à sa mission civilisatrice, à la générosité infinie de la France, à son devoir d'apporter au monde entier la plus brillante civilisation que l'histoire ait jamais connue.

Fort de ce droit et de ce devoir, tout lui était permis. Pour Kakatika les Noirs sont des sauvages, des primitifs sans histoire, sans culture, sans civilisation. De grands enfants paresseux, fainéants, stupides : aucune qualité morale ni intellectuelle. Autant le Blanc est la perfection de la vertu, l'essence secrète qui dévoile toute chose, autant le Noir est la perfection du vice. Aussi convient-il de l'éduquer, de le civiliser avec une main impitoyable, une main qui doit frapper sans défaillance chaque fois que ce sommeilleux serpent venimeux enfoui au fin fond du Noir lève un tant soit peu la tête, se manifestant par quelque signe que lui, Kakatika, est, bien entendu, le seul à déceler et à interpréter sans autre forme de procès.

Mais force était de reconnaître que la haute idée qu'il avait de la France et de sa mission, faisait de Kakatika le moins injuste des commandants, le moins arbitraire des administrateurs que le cercle de Bettié ait eu l'honneur de voir défiler à un rythme vertigineux, à cause de la misère, mais surtout à cause de la résistance, passive mais ferme, des patriotes qui n'ont jamais accepté la démission, l'abdication de leur culture, de leur histoire, de leur tradition, de leur coutume, bref de leur propre identité. Mais avec Kakatika, une paix provisoire, tacite, avait été signée. Dans ces conditions, il était hors de question de parler d'une arrestation arbitraire.

A mesure que Mélédouman allait plus avant dans ses analyses, il se rendait compte de l'absurdité de sa situation, de son cas, un cas précisément grave, un cas incompréhensible, inquiétant, angoissant. En effet, ce nouveau commandant ignore tout de l'histoire profonde de ce pays. Ce n'est pas son problème puisqu'il la nie. Il sait, bien sûr, vaguement, que Mélédouman est le prince héritier du trône. Mais avec le mépris royal — c'est le cas de le dire — que le commandant Lapine Kakatika affiche envers la culture, envers la tradition, envers les croyances, les coutumes, l'histoire, l'identité culturelle noire, qu'est-ce que cela peut bien lui faire que Mélédouman soit prince ou pas !

Mélédouman n'est pas non plus un agitateur, un meneur, un subversif. Ce n'est pas dans son tempérament, dans son caractère, de se cacher pour agir hypocritement, quand vient la nuit. Il a le courage de ses idées et les exprime sans fard, sans ambages, quelle que soit la personne qu'il a en face de lui. On peut même le qualifier quelquefois de téméraire et d'imprudent à cause du peu de cas qu'il fait de sa propre sécurité. Mais l'amour de la vérité, le courage de l'exprimer, de la dire, de la défendre, quel que soit le risque encouru, l'honnêteté intellectuelle, le courage moral de défendre la justice à tout prix, toutes ces valeurs ne font-elles pas partie de l'éducation traditionnelle des princes qui auront plus tard la lourde charge de diriger le peuple, de guider le royaume sous l'œil inquisiteur des ancêtres, sur le chemin de la liberté pour tous, de la justice pour tous ?

Non, Mélédouman n'est pas un lâche qui se cacherait dans l'ombre pour porter des coups bas à l'adversaire. Il est un prince et un noble au sens le plus plein et le plus élevé du terme. Mais être prince constitue-t-il en soi un crime, un fait délictueux ? Non, il ne le pense pas.

Quelqu'un l'aurait-il calomnié ? Oui, une méchante calomnie peut-être. Mais qui et dans quel intérêt ? Qui à Bettié a intérêt à le calomnier aussi bassement ? A Bettié tout le monde loue la discrétion, le calme, la timidité, ou plutôt une forme de pudeur de Mélédouman qui va de pair avec un courage reconnu par tous. En effet, quoique le sang royal authentique coule dans ses veines, il ne s'en targue nullement, à la différence des autres. Lui, au contraire, se fait un scrupule de le faire oublier, par une modestie assez rare. Ce qui lui vaut l'admiration sincère, le respect et l'amitié de tous.

Ce qu'il faut dire, c'est que dans ce milieu fortement hiérarchisé, la modestie n'est pas précisément la qualité qui étouffe les «Dihié», les nobles. C'est plutôt leur suffisance, leur orgueil, pour ne pas dire leurs fanfaronnades. Ils ont la mauvaise habitude de rendre un culte à tout ce qui brille comme l'or qui chamarre le trône et tous les sceptres royaux. Ils n'ont de cesse de s'exalter et de s'applaudir.

Mélédouman avait su éviter ces grands airs. Non, ce n'est pas possible, l'hypothèse de la calomnie est absurde. Aussi absurde que celle de l'arbitraire. Alors quoi ? Qu'est-ce que Mélédouman a bien pu faire de mal ? Mélédouman est à la fois curieux et impatient de connaître les raisons de son étrange arrestation, les raisons des traitements insupportables qu'il vient de subir.

4

- Pourquoi n'as-tu pas répondu à mes nombreuses convocations ? Il a fallu que je vienne moi-même te chercher à domicile. Tu ne trouves pas que tu as un sacré culot ? Ne pas répondre à une convocation du commandant, c'est très grave, mon ami. Cela s'appelle refus d'obtempérer, refus d'obéissance. Ça peut te coûter cher.

- Mon commandant, je ne les ai pas reçues, sinon je ne vois aucune raison de ne pas obtempérer, comme vous dites.

- Je suis sûr que tu ne dis pas la vérité. Hypocrite et menteur, cela n'est pas fait pour me surprendre. Trois convocations. Tu aurais dû en recevoir au moins une. Surtout que les gardes qui te les portaient prétendent te les avoir remises de la main à la main. Évidemment vous êtes tous plus menteurs les uns que les autres. Alors qui croire ?

- Moi. Quel intérêt ai-je à vous mentir ? C'est eux qui ne disent pas la vérité.

- Alors ils mentent. Donc tous mes collaborateurs sont des menteurs. C'est grave ce que tu dis là.

- Ce n'est pas ce que je dis, mon commandant. Je n'oserai jamais affirmer une chose pareille. D'abord, je ne vis pas ici avec vous. Ensuite, je ne connais pas tous vos collaborateurs. Comment aurais-je pu porter un pareil jugement sur eux ? Ce que j'affirme, c'est que ce n'est pas moi qui mens. C'est donc eux qui ne disent pas la vérité.

- Trêve de jeu subtil de mots. Quiconque ne dit pas la vérité ment.

- Non, mon commandant. Pas forcément. On peut, sans mentir, être tout simplement dans l'erreur, se tromper.

- Alors les trois gardes sont dans l'erreur, se sont trompés. C'est toi seul qui détiens la vérité, qui ne te trompes pas.

- Non, mon commandant, tout le monde peut se tromper, être dans l'erreur.

- Et alors, ces convocations, oui ou non, les as-tu reçues ? Pour une fois, sois noble et honnête, dis la vérité.

- J'affirme sur l'honneur, au nom du ciel et de la terre, n'avoir reçu aucune des trois.

- *Ah ! Ah ! L'honneur d'un nègre...*

- Interrogez bien, s'il vous plaît, ceux qui ont remis ces fameuses convocations. A qui exactement les ont-ils remises ? A mon frère, à mon double, à mon revenant peut-être ? Ce qui est certain, c'est que ce n'est pas à moi. Et surtout pas de la main à la main. Incroyable. Vous pensez bien, je sais ce qu'une convocation du commandant de cercle veut dire. De deux choses l'une : ou bien, je voulais désobéir et je devais le faire loin d'ici, c'est-à-dire fuir, me réfugier à mon campement ; ou bien, obéir et donc y répondre dans les meilleurs délais, au lieu, à la date, à l'heure indiqués. Mais je ne suis pas aussi stupide, au point que si je choisis le refus d'obéissance, j'attende ainsi gentiment qu'on vienne me cueillir comme une papaye mûre pour la bastonnade. Et les travaux forcés. Qui n'aime pas travailler librement et pour lui-même au lieu de travailler sous les fouets de son voisin ?

- Je conviens que pour une fois ton raisonnement n'est pas trop bête. *Pour un Noir je reconnais que ça se tient.* Une fois n'est pas coutume, une fois n'est pas tra-

26

dition, n'est-ce pas, cher prince traditionnel ? Laissons donc cela. Ta carte d'identité ?

- Moi ?

- Non, ta sœur. Pourquoi avez-vous cette manie, quand on vous pose une question, de toujours poser une autre question ?... Moi ! Moi ! Tu es devant moi, je te pose la question. Je te demande ta carte d'identité ! Et tu me demandes : « Moi ? Moi ? » Devine qui cela peut être.

Mélédouman fouilla soigneusement les nombreuses poches de son ensemble kita, pagne Tiakoto et Diampa (pagne royal, gros caleçon et majestueuse, ample chemise traditionnelle). Il fouilla longuement, patiemment, nonchalamment, majestueusement.

Mais le commandant Kakatika, qui n'avait pas de temps à perdre, s'impatienta :

- Alors, ça vient ou c'est pour demain ?

- C'est curieux, je l'avais pourtant, cette carte d'identité.

- Eh bien, que tes dieux t'aident à la retrouver, sinon tu le regretteras.

- Mon commandant, je vous jure que je l'avais.

- Rien ne sert de jurer. Il faut la retrouver, un point c'est tout.

- Mais, mon commandant, je ne sais pas ce qui m'arrive. Je l'ai fait établir normalement, je ne sais quand... Il y a très longtemps, je ne sais pas, moi. Enfin, il n'y a pas tellement longtemps, quand j'y pense... Je ne sais pas, moi...

- Vous ignorez trop de choses. Je ne sais pas, moi... Je ne sais pas, moi... Tâche de savoir tout cela pour ta propre sécurité. Pour ta propre identité : Nom. Prénom. Date et lieu de naissance. Age. Taille. Signes particuliers. Domicile. Adresse complète. Profession. Célibataire. Marié. Nombre d'enfants. Père. Mère. Date et

lieu de naissance. Profession. Sont-ils morts ? Vivants ?
Combien d'enfants ont-ils eus ? C'est-à-dire combien de
frères et de sœurs as-tu ? Age. Profession. Date et lieu de
naissance de chacun et de chacune. Sont-ils tous vivants
ou morts ? Sont-ils tous mariés ou célibataires ? Combien d'enfants chacun ou chacune a-t-il eus ? Leur âge,
leur sexe, leur profession. Ah ! J'oubliais l'essentiel. La
tribu de chacun, l'ethnie.

Chacun a sa façon de considérer la perte du temps,
selon ses centres d'intérêt. Si le commandant Kakatika
pensait perdre son temps tout à l'heure, c'est au tour
de Mélédouman de le penser. A la fin, il n'écoutait
même plus ce que disait le commandant. Brusquement
il éclata :

- Ta carte d'identité ! Ta carte d'identité ! Qu'est-ce
que c'est que cette histoire de carte d'identité ?
Regardez-moi bien. Sur cette joue, cette marque que
vous voyez, c'est ma carte d'identité. J'ai sur mon corps
d'autres marques qui concourent à la même démonstration. S'additionnent pour donner la même preuve. La
preuve par le sang de ce que je suis. Ce sont mes ancêtres
qui sont fondateurs de ce royaume, de cette ville. Tout
ici constitue ma preuve et ma carte d'identité. Puisque
tout ici m'appartient et atteste ce que je suis, qui je suis.
Le ciel et la terre.

*La terre, les eaux et ses habitants : poissons, crabes,
caïmans, hippopotames.*

*La forêt et ses habitants : les lions, les panthères, les
éléphants, les biches, les gazelles, les serpents et les singes.*

*Le ciel : l'aigle, le touraco qui est l'emblème du
trône. Ainsi toute loi naturelle ou humaine traverse mon
sang et ma légitimité avant d'être légale et loyale. Mon
sang est ma meilleure carte d'identité. L'histoire de
cette région, de ce royaume me fonde comme je la*

fonde. Elle me justifie comme je suis sa justification. En un mot, le passé, le présent et l'avenir, une fois pour toutes, m'appartiennent, m'ont investi, comme c'est moi et ma famille seule qui constituons son investiture. Alors, de quelle identité s'agit-il ? Vous trouvez que je ne suis pas assez identifié comme cela ? Identifié par l'histoire. Identifié par la terre, cette terre qui est sous nos pieds, qui m'a vu naître et qui sera ma dernière demeure. Identifié par le soleil qui est sur nos têtes, l'immense ciel. Identifié par la population. Qui, dans ce royaume, ne me connaît pas ? Au fait, quand on y pense, carte d'identité, quel drôle de mot ! Qu'est-ce que cela veut dire ? Cela ne veut rien dire, un simple papier. *D'ailleurs il y a tellement de cartes. Cartes à jouer, jeu de cartes. Cartes de géographie. Cartes postales. Cartes-lettres. Manger à la carte.*

- Un simple papier. Un simple papier. Non, monsieur, ce n'est pas un simple papier. C'est toute ta vie.

- Non, ce n'est pas toute ma vie. Vous croyez vraiment que ce bout de papier suffit à vous faire surgir du néant, à vous conférer une identité ? Même si vous n'êtes rien ! Même si vous n'avez rien. Même si vous n'avez aucune famille, aucune racine. Seul le sang, la famille identifient réellement. Seule l'histoire identifie réellement. Seul le temps identifie réellement. Comment identifier un enfant trouvé dans la rue ? Un apatride, un vagabond sans domicile ? Vous m'avez bien trouvé dans une maison pour pouvoir m'arrêter. Vous m'avez trouvé au milieu de ma famille. Au milieu de mes enfants, de mes femmes. Si vous m'avez arrêté, c'est que vous êtes sûr que c'est moi et non un autre. Sinon, il fallait vérifier ma carte d'identité avant mon arrestation et non après. La seule question qui se pose, c'est pourquoi vous m'avez arrêté.

- Ta gueule ! Ta gueule ! Ta carte d'identité d'abord,

après on verra le reste. Et d'ailleurs que signifient toutes les bêtises que tu viens de me débiter ? Je suis patient envers toi, mais il ne faut pas me pousser à bout. Là, je deviens méchant. Veux-tu m'expliquer ce que toutes ces âneries veulent bien dire ? On te demande ta carte d'identité, un point c'est tout. Ou tu l'as et tu la produis, ou tu ne l'as pas et j'en tire les conséquences.

- Je viens de vous dire que j'ai deux cartes d'identité…

- Une seule suffit. Justement on n'en a qu'une. Deux cartes d'identité, vraiment, tu es malade. Tu n'as pas répondu à ma question. Que signifie ce raisonnement débile que tu viens de tenir ? Je suis curieux et ne demande qu'à te comprendre si cela peut faire avancer la noble cause de la justice et de la vérité.

- Eh bien ! Je vais satisfaire votre curiosité puisque vous insistez, si cela peut faire effectivement avancer la noble cause de la justice et de la vérité. Je suis, en tant que prince héritier du trône, le fondement de tout pouvoir dans ce royaume. Toute forme de pouvoir donc, qui ne traverse pas mon sang de près ou de loin, toute forme de pouvoir, tout acte juridique ou légal qui ne bénéficie pas de cet aval, de l'aval de la famille royale de Bettié, détentrice de la vraie légitimité, tout acte qui n'a pas le bénéfice de ma caution spirituelle, morale ou politique, ou celle de ma famille, ne peut être qu'usurpation, expropriation illégale, illicite, illégitime et spoliation.

La stupéfaction du commandant Lapine Kakatika était telle qu'il en resta bouche bée, perdit, avala, mâchonna même sa langue, sa grosse langue rose pourtant habituellement bien pendue. Ça, par exemple ! S'attendait-il à des raisonnements aussi scabreux, aussi saugrenus ! Vraiment ces nègres, à blanchir leur esprit, leur intelligence aussi noire que leur peau, c'est perdre, c'est gaspiller son savon, sa belle mousse blanche. Il venait de comprendre pourquoi les commandants ne tenaient guère plus de deux ans dans ce bled damné. Évidemment, avec de mauvais esprits pareils ! Comment, on veut les civiliser, on veut leur apporter la culture, la merveilleuse culture française, la science, le beau travail de l'intelligence française, les arts, la perfection, la beauté du génie français, un génie universel par vocation et par sacerdoce, on leur fait même l'honneur de les faire descendre des Gaulois, c'est-à-dire du même arbre généalogique que les Français de France, et au lieu de l'adoration, de la vénération qu'on devrait lire dans les regards, c'est de l'odieuse ingratitude, des insultes grossières, de l'insolence qu'on y lit. Ils flanquent à votre gueule, au moment où vous vous y attendez le moins, toute leur bile noire, leur haine accumulée, la volonté sournoise de vengeance.

Les mots : fondateur, usurpation, spoliation, expropriation, illégime, illicite, martelaient le cerveau du commandant Kakatika comme un forgeron une enclume, comme autant de clous qu'on aurait enfoncés dans sa tête. Aussi, revenu de cette forge assourdissante, il asséna :

- Que tes ancêtres roitelets fussent souverains du passé et détenteurs de toutes légitimités, ce n'est pas mon problème. Quant à l'avenir, il n'appartient à personne. Pas plus à toi qu'à moi. Je peux tout de même, les choses étant ce qu'elles sont, supposer sans grand risque d'erreur qu'il appartient plus à moi qu'à toi. Quant au présent, sois réaliste, à défaut d'humilité et de sagesse. Regarde les chaînes à tes pieds, les menottes à tes poignets et les gardes autour de toi ; cela doit te suffire pour comprendre que le présent, lui, m'appartient totalement, absolument, sans partage.

Il prononça ce dernier mot avec force, en se levant et

frappa sur la table, au risque de se briser le poignet.

- Regarde donc le rapport de forces, regarde ce rapport bien en face et cesse de rêver. Plus rien ne t'appartient à Bettié, tu entends. Fini, ton règne ! Le règne des roitelets de brousse, des roitelets de forêts, des savanes et des steppes est terminé et bien terminé. De toute façon condamné par l'histoire. Ou c'est moi, ou c'est le peuple souverain qui décidera maintenant. Nous sommes à une époque de démocratie et même de démocratie populaire. Finies les monarchies. Les rois, où sont-ils ? C'est terminé pour les rois, même en France. Ils sont de nos jours tout juste bons pour la guillotine. Alors fais gaffe à ta tête royale, à ta couronne en or. Il faut que tu le saches. Je te le dis bien charitablement. La loi, la légalité, la légitimité : c'est moi et moi seul. Il n'y a pas plus à Bettié qu'ailleurs deux légalités, deux légitimités, deux cartes d'identité. C'est la mienne que je te réclame, et c'est l'unique.

5

A mesure que le commandant Kakatika parlait, il perdait le contrôle de lui-même. Sa fureur allait grandissant. Une espèce de colère hystérique. A la fin de la confrontation, il bavait presque, comme atteint d'une crise d'épilepsie.

- Qu'est-ce que vous aviez avant nous ? Rien ! Rien ! Qu'est-ce que vous étiez avant nous ? Rien ! Rien ! Qu'est-ce que vous connaissiez avant nous ? Rien ! Rien ! Vous n'aviez rien ! Vous n'étiez rien ! Vous ne connaissiez rien ! Voilà la vérité. C'est pourquoi nous avons pu vous coloniser. Un vide. Un grand vide. Un gouffre profond. On ne peut remplir que ce qui est vide. On a vu dans l'histoire de la colonisation des peuples colonisateurs adopter la culture du peuple colonisé. Rome avait bien adopté la culture grecque. Une horde de cannibales sans sciences, sans techniques, sans organisation sociale. Une horde régie par des coutumes féroces, bizarres, inintelligibles. Vous étiez des hommes «sans». Sans sens. La France, dans sa générosité infinie, vous a tout apporté : culture, art, science, technique, soins, religion, langue. Comme des enfants. Tu entends, comme des enfants. Elle vous a fait surgir du néant. Vous a fait sortir des ténèbres, pour vous guider sur votre chemin noir avec sa lumière blanche. Vous n'aviez rien, vous n'étiez rien, vous n'existiez même pas. Vous étiez dans la nuit, vous étiez dans les ténèbres. Vous n'étiez rien, vous n'aviez rien, vous ne connaissiez rien. Vous étiez des hommes sans tête, sans visage. Dans l'histoire de l'humanité, chaque peuple a apporté quelque chose, a inventé quelque chose, ne serait-ce qu'une aiguille, au profit de la richesse, de la fortune communes. Une graine au grenier commun. Mais vous, qu'est-ce que vous avez inventé, qu'est-ce que vous avez découvert, créé ? Rien. Vous êtes des hommes non seulement inutiles à l'histoire de l'humanité, mais nuisibles. La honte de l'espèce humaine. Qu'avez-vous fait du peu d'intelligence que Dieu a bien voulu vous donner ? Du peu de. dons que la nature a bien voulu vous accorder ? Rien. Rien ! Vous êtes tellement paresseux et fainéants que vous avez laissé tout cela en friche, sans la volonté de le mettre en valeur, sans la volonté de l'exploiter. Sans cette volonté farouche qui fait la grandeur des grands peuples, comme le peuple de France. Vous avez passé tout votre temps dans la forêt en compagnie des singes, à les imiter, à faire du bruit, du tam-tam, pour danser et rire bêtement. Vous n'avez même pas pu inventer un langage, un signe pour écrire votre nom, conserver votre mémoire. Vous êtes un peuple analphabète, un peuple sans écriture, donc sans mémoire et par conséquent sans histoire. Pitié, vous me faites pitié. C'est le seul vrai sentiment que j'éprouve pour vous. Le sentiment chrétien de la pitié et de la charité. Car, en plus, il faut reconnaître honnêtement que vos histoires de griots, ce sont précisément des histoires, des histoires à dormir debout, des contes de fées, des fables, des légendes si vous voulez : mais pas de l'Histoire.

L'Histoire. La grande Histoire de France, c'est autre chose. Vos conneries de tradition orale, mon cul ! Non, voyons, soyons donc sérieux ! C'est sur ce vent, ce sable, que toi tu veux fonder ton royaume. Ton droit. Autant le faire sur la lune et sur les autres planètes. C'est de la science-fiction. Non, on croit rêver, purement et simplement. Vous n'avez pas d'écriture, donc vous n'avez pas, bien sûr, de littérature. Pas de pensée. Rien. Vous n'avez rien. Vous n'êtes rien. Vous ne connaissez rien.

Vous n'avez pas de philosophie, pas de mathématiques. Pas de langue. Oui, enfin, vous appelez langue cette espèce de patois plus proche du sifflement d'un serpent ou du chant d'un oiseau que du son humain ! Là encore, la France vous a fait don, un don généreux, inestimable, de sa langue, une langue universelle, l'une des plus belles, qui vous permet d'étudier, d'acquérir la science, la technique, l'art, la médecine. Surtout la médecine pour vous soigner convenablement. Car dans ce domaine qu'est-ce que vous aviez ? Des sorciers, des fous qui déliraient, des malades eux-mêmes ! Comment pouvaient-ils soigner d'autres malades ? Oui, vos sorciers, de vrais fous. Des fous à lier, des fétiches, des idioties insupportables et irrationnelles. Des trucs cruels, des machins sanguinaires auxquels on faisait des sacrifices humains périodiquement après des danses macabres, des danses de diables, de singes comme celle que j'ai eu la triste occasion de voir. Oui, des sacrifices d'hommes aux fétiches quand vous ne les mangiez pas. Qu'est-ce que vous aviez avant nous ? Rien. Rien. Qu'est-ce que vous étiez avant nous ? Rien. Rien. Qu'est-ce que vous connaissiez avant nous ? Rien. Rien.

Alors, parce qu'on demande à Monsieur le Comte de Bettié sa carte d'identité, parce qu'on veut vérifier la carte d'identité de Sa Majesté Impériale de Bettié et qu'elle l'a perdue ou n'en a pas, il remet tout le système en question, remet tout en cause et parle effrontément de « spoliation », d'« usurpation », d'« illégitimité ». Tu as un culot tout de même ! Mais enfin, regarde la situation actuelle en face et bien en face. Regarde-moi bien dans les yeux.

- C'est bien ce que je ne cesse de faire, mon commandant, dit Mélédouman avec sérénité et calme, malgré l'indignation qui offusque sa poitrine comme une grue pesante, la colère qui étreint avec furie son cœur qui bat

35

comme s'il venait de descendre du sommet du Kili-
mandjaro après un marathon.

Tout compte fait, il préfère ça : l'honnêteté, le courage d'exprimer ses idées, ses convictions profondes. Il
préfère ça, il préfère cet ultimatum franc, direct, cette
déclaration de guerre loyale, aux sournoises escarmou-
ches. Il attendait cette occasion de régler son compte à ce
colon raciste qui ne ratait pas une occasion de faire des
allusions perfides sur ce qu'il appelait des hommes
« sans », de régler son compte calmement, sereinement,
sans passion, à ce beau discours colonial : après la déclaration universelle des Droits de l'Homme, Kakatika
vient de faire la déclaration universelle des devoirs de
l'esclave. Le manifeste du « droit » colonial. Alors cela
requiert une réponse paisible. Sans passion, Kakatika
vient aujourd'hui de vomir tout son venin colonial. Sa
poche est vide. Mieux vaut cela que ces malicieux et
constants sous-entendus. Maintenant il s'agit donc de
recueillir tout ce venin splendide dans une assiette en or.
Pour le servir chaud et savoureux aux affamés de la
liberté, aux assoiffés de la dignité. Il s'agit de récolter ce
succulent venin, de le boire goutte à goutte, sans en perdre la moindre, jusqu'à la lie. Jusqu'à la dernière
goutte, la toute dernière goutte au risque de se suicider,
au risque d'en mourir. C'est pourquoi Mélédouman lui
posa la question en le regardant bien droit dans les yeux
comme il le demandait :

- Vous avez vu dans l'histoire l'exemple d'un peuple
qui en exploite un autre, d'un peuple qui soumet
l'autre par la force, d'un peuple qui opprime un autre
peuple et reconnaît les qualités morales, spirituelles,
intellectuelles de ce peuple exploité, de ce peuple soumis ? Qui reconnaît l'intelligence inventive, le génie
créateur de ce peuple écrasé et avili ? Je n'en vois pas
d'exemple. Même les Romains dont vous parliez tout à

l'heure, tout en adoptant la culture grecque, ne procla-
maient pas officiellement sa supériorité sur la leur.
Toute exploitation, toute soumission, tout joug doivent
être justifiés pour être acceptés par ceux qui les subis-
sent, par ceux qui en sont les victimes.

- Ainsi tu te crois exploité et soumis ; ça c'est le comble... Tu es nu, on t'habille. Tu es malade, on te soigne.
Tu es ignorant, tu es dans les ténèbres, on t'instruit. On
t'éduque. On t'apporte la lumière. On t'apporte la
science. Tu as faim et soif. On t'apporte à manger sur un
plateau d'argent. On étanche ta soif avec de l'eau fraî-
che. Tu es dehors sous la pluie, frileux, recroquevillé,
peureux, craintif, à la merci de toutes les terreurs nocturnes,
tribales, de tous les dangers. Sans défense. On te
réchauffe. On construit une forteresse pour ta défense.
Pour ta protection. Et tu appelles ça être soumis, être
exploité. Si c'est ainsi que vous considérez les choses, à
votre bon cœur, monsieur. Mais sache encore une fois
que pour le moment, c'est moi qui ai le pouvoir et tout
le pouvoir. Et un pouvoir est puissant ou n'est pas.
Comment concevoir un pouvoir impuissant, un pouvoir
faible ? Tout pouvoir est fort ou n'est pas...

- Ma parole, c'est le paradis terrestre que vous m'avez
décrit là ! C'est l'âge d'or colonial !

Quant à votre conception du pouvoir, le pouvoir fas-
ciste qui semble être votre conception, malgré vos évasi-
ves références à la démocratie et même à la démocratie
populaire...

- Je suis un militaire, ne l'oublie pas. Je crois à la dis-
cipline, à l'ordre, à la hiérarchie, à l'obéissance, à la
force comme seul mode efficace de gouvernement, mais
aussi à la justice. Pourquoi instituer un gouvernement
s'il ne gouverne pas effectivement ? S'il n'a pas le pouvoir, tout le pouvoir, toute la réalité du pouvoir ? C'est
pourquoi le système parlementaire est aussi condamné

que les monarchies. Tous ces bavards impuissants qui n'agissent pas, qui se masturbent à longueur de journée à l'Assemblée nationale me tapent sur les nerfs. L'Action, le Pouvoir, la Force, voilà la seule réalité du monde.

- La force, l'action, le pouvoir. Quelle est, en effet, l'étendue de votre pouvoir, la réalité de votre pouvoir ? Vous êtes peut-être, qui sait, un pantin, une marionnette, un instrument au service d'une force supérieure, au service d'une force qui vous dépasse et qui vous manipule. Dans tous les cas, il s'agit de quelle force, de quel pouvoir ? Vous commandez le monde physique avec une force physique. Votre pouvoir est un pouvoir technique, policier et militaire. Quoi que vous puissiez penser, j'ai le droit, la justice, la liberté, la dignité de mon côté. J'ai le pouvoir moral et spirituel. Il s'enracine dans le temps, dans le fin fond du temps, dans le temps insondable, dans l'histoire des peuples libres, dignes et fiers, dans l'histoire, quoique, selon votre conception, nous soyons dépourvus d'histoire.

Que peuvent la technique, la force militaire bestiale, la force brutale, la force policière contre la force de l'homme, la volonté farouche de l'homme — vous venez de le reconnaître vous-même —, la force de son esprit, la force de son âme, la décision ferme et irrévocable de tout son être : l'intelligence créatrice, la liberté révoltée qui dit non à l'asservissement, non à l'esclavage. Oui, l'homme qui dit tranquillement, sereinement, paisiblement, calmement non ! non ! non ! Que peut la force contre cet homme-là, rien, rien. Cette impuissance du pouvoir contre l'homme libre, contre un homme réellement libre, est l'une des grandes chances de libération de l'homme, c'est le grain de sable du destin de l'homme, sa grandeur. Quand un homme en prison comme moi vous regarde ainsi dans les yeux sans baisser les siens. Quand il vous regarde en face, bien en face, comme moi, c'est qu'il est déjà investi par la liberté, déjà perdu pour le fouet, la torture et leur terrible pouvoir aliénant, récupérateur. Quand un esclave vous fixe ainsi avec un regard allumé d'aigle, un regard de tigresse blessée, assoiffée, c'est qu'il est déjà un homme libre : plus rien n'est possible contre lui.

C'est qu'il est déjà pénétré de la grandeur mystérieuse de sa forêt, de l'immensité ineffable de ses fleuves, de ses montagnes, de ses rochers. Que peuvent, que valent la technique, la force militaire, la force policière, contre la force de son amour pour sa terre, ses herbes, ses plantes, ses arbres, ses eaux, ses oiseaux, ses pierres ? Rien. Rien. *Si tu veux atteindre un peuple dans son intimité la plus profonde, si tu veux déraciner un peuple, si tu veux désespérer, déséquilibrer un peuple, si tu veux rendre un peuple vulnérable pour l'abattre avec une facilité puérile, en un mot, si tu veux assassiner infailliblement un peuple, si tu veux le tuer de science certaine : détruis son âme, profane ses croyances, ses religions. Nie sa culture, son histoire, brûle tout ce qu'il adore et l'objectif sera atteint, sans que toi-même tu t'en aperçoives. Que vaut un peuple qui ne sait plus interpréter ses propres signes ? Quelle force morale, quelle solidité peut avoir un peuple qui a perdu la signification de ses propres mythes, de ses propres symboles ? Un étranger à lui-même. Un peuple qui a perdu foi en lui-même, en son destin.*

Quelle ombre, quel feuillage, quelle fleur, quel fruit peut encore donner un arbre abattu par un bûcheron forcené, un arbre coupé de sa sève, coupé de ses racines nourricières ? Quelle sève cet arbre peut-il encore offrir à son tronc, à ses branches ? Aucune. Aucune. C'est un arbre mort, proie des larves, des termites, des insectes broyeurs. Mais si couper le tronc, les branches, les feuil-

les de cet arbre est chose aisée... et les racines ? Les racines nourricières profondément enfouies dans les yeux,
dans le cœur de la terre. Ensevelies sous les pierres pro-
tectrices. Les radicelles, les ramifications réfugiées sous
les rochers, indéracinables, inaccessibles aux mains
impies qui s'aviseraient de les arracher impunément,
même l'arbre une fois abattu. Ah ! les racines, les tena-
ces racines, les têtues petites racines, les invulnérables
petites racines ! Êtes-vous sûrs de pouvoir détruire, arracher toutes les racines d'un baobab, d'un acajou, d'un
fromager, de couper toutes les radicelles, une à une,
jusqu'à la dernière, dans ce sol graniteux, dans cette
terre graveleuse, caillouteuse, pierreuse ? Auriez-vous la
patience des ans, une patience « aux fesses de pierre », la
patience requise pour des tâches aussi délicates ? Vous si
pressés d'atteindre le succès immédiat. Vous qui ne visez
qu'à la rentabilité, à l'efficacité technique. Vous qui
tenez pour le raisonnement scientifique, ne jurez que
par la raison, auriez-vous la patience de dénombrer une
à une toutes les radicelles, les ramifications insoupçon-
nables, de les dénombrer avec la minutie requise : éti-
queter, épingler, laver proprement toutes les racines ?
Les racines microscopiques de ce chiendent des champs.
Petite herbe rampante mais aux racines d'hydre. Non.
Vous voyez que nous sommes engagés dans un long jeu
de patience. Inlassablement. Nous sommes frappés à
l'effigie du chiendent. Le chiendent des chemins pierreux, aux racines indéchiffrables, indénombrables.
Chiendent des chemins caillouteux qui serpente, souple, changeant comme un caméléon, sous les acajous,
pour attendre leur mort, dans le fracas vulnérable des
grosses racines. Non, non, alors renoncez à caresser le
vœu secret de dominer le monde entier. Renoncez au
rêve impossible d'asservir tous les peuples de la terre. Au
rêve irréalisable, au chimérique rêve de soumettre, de

courber tous les fronts plus bas que terre pour votre seule gloire. Je suis nu, il est vrai, mais qui m'a dépouillé de mon vêtement ? Vous. Je suis malade : qui m'a inoculé ce mortel microbe ? C'est vous. J'ai soif et faim. Qui m'a arraché la part de nourriture que j'avais dans la bouche ? C'est vous. Je suis dehors sous la pluie, frileux et recroquevillé : qui m'a chassé de ma maison, de chez moi ? C'est vous. Je suis craintif ! Qui est-ce que je crains tellement, quel loup affamé qui rôde autour de moi ? C'est vous. Dois-je vous rappeler la Traite, cette incurable gangrène à mes flancs qui me saigne encore le cœur ? Je suis sans défense. Mais qui m'attaque ? Contre qui dois-je assurer ma défense ? C'est encore contre vous. Toujours vous. Alors vous voyez bien que vous ne pouvez pas être tout à la fois l'assaillant, l'agresseur et celui qui fortifie la ville contre l'agression. Vous ne pouvez pas être tout à la fois l'attaquant et celui qui, au mâchicoulis, lance des pierres contre ce dernier. Avec quoi avez-vous édifié votre empire ? Que vous le veuilliez ou non, c'est avec ma sueur, mon sang. Le butin de ce que vous m'aviez pillé, le butin de vos pirateries «universelles», puisque vous aimez ce mot.

Dans l'histoire de l'humanité, aucun peuple n'a eu autant de moyens entre les mains que vous. Vous aviez entre vos mains les pouvoirs, tous les pouvoirs, les moyens, tous les moyens. Le pouvoir technique, les moyens techniques. Le pouvoir intellectuel, les moyens intellectuels. Le pouvoir moral, le moyen moral. Jamais dans l'histoire un peuple n'a eu un pouvoir aussi proche de celui de Dieu. Malheureusement vous avez été Dieu avant d'être des hommes. Car vous auriez eu tous les pouvoirs, tous les moyens de rendre tous les hommes heureux sur cette terre, si vous aviez appliqué honnêtement les principes qui devaient régir votre société. Vos propres principes. Vous avez eu tous les moyens pour la libération totale, intégrale de l'homme total et intégral. Qu'avez-vous fait de ces moyens et de ces pouvoirs surhumains ? Au lieu de les utiliser pour libérer l'homme, tous les hommes, au lieu de les utiliser pour son salut, vous les avez utilisés pour l'asservir. Au lieu d'enlever la chaîne que l'homme portait aux pieds, vous avez augmenté son poids. Cela a un nom au jeu, cela s'appelle tricher. Oui, vous avez triché avec les règles de votre propre jeu. Oui, je vous accuse de trahison et de tricherie et moi je ne joue pas avec les traîtres et les tricheurs.

- L'accusé pour le moment, ce n'est pas moi, c'est toi.

- Mais puisque vous ne pouvez pas me dire ce dont je suis accusé, moi je vous dis ce dont je vous accuse.

- Si tu penses que pour te défendre il faut attaquer, accuser à outrance les autres, tu te trompes lourdement, tu es un mauvais avocat.

- Peu importe. Ce qui est essentiel, c'est que vous compreniez ce que je vous dis. Et je vous le dis sans colère, sans passion. Mais il faut que vous le sachiez : comme le mien, votre règne est terminé. Je vous accorde que les rois et les oppresseurs ont la même sanction de l'histoire : condamnés à mort. Alors, entre condamnés à mort, on peut se dire sans crainte toutes les vérités. On peut exprimer librement ses dernières volontés sans crainte. Rédiger librement son testament. Considérez donc ce que je vous dis comme étant le mien.

Vous êtes des tricheurs. Vous trichez avec tout le monde, vous trahissez tout le monde. Chose grave : non seulement au nom de la civilisation occidentale vous piétinez, vous humiliez, vous opprimez, vous réprimez, vous exploitez, vous niez la liberté des autres peuples, mais vos propres peuples, qu'en avez-vous fait ? Des esclaves.

Les têtes de vos rois en tombant des guillotines n'ont pas entraîné, avec elles, le paradis pour le peuple français, la libération réelle du peuple français. Et la Déclaration universelle des Droits de l'Homme est marquée d'un sceau, le sceau bourgeois. N'est qu'une nouvelle Bastille, la Bastille bourgeoise. Au nom de quoi offrez-vous aux nègres ce que vous refusez à vos propres peuples laborieux, producteurs de richesses, vrais créateurs de cette civilisation dont vous êtes fiers ? Oui, je le demande, au nom de quoi offrez-vous aux nègres, pour qui vous n'avez que mépris souverain, ce que par esprit de conservation des privilèges acquis, par égoïsme, vous refusez à votre propre frère de race ? Vos propres frères de race qu'une minorité exproprie, affame, spolie, massacre, réprime, opprime, exploite comme nous. Non ! Non ! Je ne fais aucune confiance aux traîtres et aux tricheurs. Je ne vous fais pas confiance pour m'habiller, pour me nourrir, me loger, me soigner, me protéger. Non, je vous remercie de l'offre. Je vous demande une seule chose : vous avez assez dansé. Vous êtes de mauvais danseurs. Laissez la place à d'autres danseurs, pour d'autres mouvements. La place à d'autres musiciens pour une nouvelle musique. Vous chantez faux, vous jouez mal. Quelle cacophonie...

- Tais-toi. Tais-toi. Suffit. J'en ai assez entendu pour aujourd'hui.

- Non ! Non ! Je ne me tairai pas. Vous avez trop parlé. Pendant des siècles vous vous êtes arrogé le droit universel de parler au nom de toute l'humanité réduite au silence par vos bâillons de fer. Votre voix, votre parole étaient la voix, la parole de l'humanité. Votre verbe était le verbe créateur, le verbe divin qui tirait toute chose des ténèbres. Vous étiez l'essence de la vérité, de la révélation divine. La blancheur de votre peau était la vérité du monde, l'immaculée conception.

L'éclat de votre peau faisait saillir toute chose hors de la nuit noire natale où elle gisait comme dans un sommeil de larve.

Votre ventre était le sein du monde d'où naissait, jaillissait toute vie. Mais aujourd'hui vous êtes pâles, malades. Vous êtes *vieux*. Vous radotez.

- Tais-toi. Tais-toi.

- Non, je ne suis pas près de me taire. Laissez la parole à d'autres peuples. Il est temps que vous appreniez à écouter au lieu de toujours usurper la parole. Ayez désormais l'humilité d'écouter la voix des autres. Et au lieu de juger de la justesse de son timbre et de sa mélodie par la similitude, la ressemblance qu'elle a avec la vôtre, essayez, si vous pouvez, d'écouter, d'entendre chaque voix par ce qu'elle dit si elle s'adresse à vous. Car chose plus grave encore : alors que de nos jours il apparaît de plus en plus clairement qu'une frénésie suicidaire s'est emparée de vous, une espèce de fascination masochiste de la mort s'est emparée de votre immense corps sénile, vous vous obstinez dans cette volonté néfaste de domination du monde, malgré l'échec qui frise la catastrophe. Au nom de quoi entraînez-vous le monde entier dans votre tombe ? Au nom de quoi imposerez-vous au monde votre entreprise suicidaire ? Non, vous n'avez pas le droit.

Heureusement, rien n'est encore joué. Rien n'est encore réglé. Les dés du destin des hommes et des peuples ne sont pas encore jetés. Ce geste grave requiert d'autres bras, des bras plus adroits, plus augustes que ceux d'un manchot malhabile. D'autres mains — des mains innocentes, pures — que vos mains criminelles tachées de sang. Un geste aussi primordial pour la beauté de l'homme ne doit plus être laissé aux mains des tricheurs et des traîtres. Voyez-vous, mon commandant, ce n'est pas parce qu'on me demande ma carte d'identité que je remets tout en question. Mais enfin quoi ? Vous venez chez moi, vous m'arrêtez, vous refusez de me donner les explications que je demande. De gré ou de force je vous suis ici, au cercle, les fers aux pieds, les menottes aux poignets, et c'est ici que vous me réclamez ma carte d'identité. Et si c'était un autre que vous aviez arrêté à ma place ? Un innocent ? Non pas que je reconnaisse ma culpabilité, que je l'avoue. Maintenant, vous faites de la question de ma carte d'identité un préalable à tout jugement, à tout procès. Est-ce pour vérifier ma carte d'identité que vous m'avez arrêté ? Ou est-ce parce que je me suis rendu coupable d'un quelconque délit ? Dans ce cas, la question de la carte d'identité devient secondaire, puisque, si vous m'avez arrêté, c'est parce que c'est bien moi que vous cherchiez, c'est parce que sur ce point le doute n'était plus permis. Instruisons donc mon affaire.

- Suffit. Suffit. Puisque tu le prends sur ce ton, tant que tu ne retrouveras pas ta carte d'identité, rien ne se fera. Ma patience est à bout. Gardes, amenez-le à la « cellule de la vérité », matez-le jusqu'à ce qu'il entende raison. Cet imbécile de raisonneur, de rebelle nègre, s'il était innocent, maintenant il ne l'est plus.

Puis, triste, accablé, le commandant se tourne vers lui-même.

Quel dommage ! j'avais une évidente sympathie pour ce garçon à cause de son courage, de son intelligence et d'une forme de sincérité, d'honnêteté curieuse, il faut le reconnaître, chez un Noir. Ce qui est la cause de la grande patience que j'ai eue à l'écouter jusqu'au bout. C'est peut-être l'exception qui confirme la règle. Il est vraiment noble. Je crois éprouver pour lui beaucoup de sympathie. Sympathie, non. De l'affection, même. Mais que faire ? Faut-il pour un nègre d'une intelligence exceptionnelle écrire à Monsieur le Gouverneur, à Monsieur le Ministre des Colonies que tous les Noirs ont atteint une maturité politique qui leur permette de se gouverner eux-mêmes, d'être indépendants ? En un mot, abdiquer ma mission. Non ! Non ! C'est pure folie. Je rêve. Au contraire, il faut frapper. Frapper haut et fort. Précisément ce sont ces genres d'exemples parfaits qui sont les plus contagieux, donc les plus dangereux. C'est vrai : depuis que je commence à bien connaître cet homme, mon affection, mon admiration même pour lui vont grandissant. Mais ai-je le droit d'avoir des sentiments ! Tout sentiment est une source de faiblesse coupable. La grandeur de la cause que je défends commande de frapper, sa noblesse interdit de fléchir. Tant pis, en d'autres temps et en d'autres lieux, une sincère amitié eût pu naître entre nous.

Ainsi pensait, la tête lourde, les bras encore plus lourds, planté devant la table stérile, le commandant Kakatika. Voici une amitié avortée, oui, avortée. Quelle époque ! Époque d'avortement et de viol. Quand je pense que les quatre prochaines affaires que je vais avoir à juger, ont trait au viol ! Mon Dieu, mon Dieu, pria le commandant Lapine. Mon Dieu, aie pitié de nous, aie pitié de nous, aie pitié de mon cercle de Bettié.

Kakatika voulait une cité juste parmi les plus justes. Une cité coloniale exceptionnelle : un havre. Un paradis colonial. Mais qu'est-ce qui pourrit tout dans cette cité coloniale idéale ? Qu'est-ce qui pourrit tout sur cette terre qui, malgré sa misère chronique, bénéficie pourtant d'une fertilité unique, à cause des limons que dispense généreusement la Comoé ? Qu'est-ce qui fait que toutes les graines, même sélectionnées, à peine sorties de terre, remuent leur tête mélancoliquement, regardent le ciel et la terre, puis comme précocement désabusées, renoncent à la vie, se fanent et meurent ? Oui, qu'est-ce qui fait que Bettié, comme une grosse termitière, s'effrite entre les mains de Kakatika, s'en va en poussière? S'en va dans les bras ouverts et fascinants de Satan.

Mon Dieu, quelle misère! Aussi était-ce la mort dans l'âme, dans un état de prostration extrême, désabusé, le cœur et les gestes vides, les gestes las, que Kakatika, d'une voix blafarde, comme une aube délabrée, une aube délavée, que Kakatika lança :

- Gardes, faites entrer les plaignants !

Mon Dieu, qu'est-ce qu'il y a? Qu'est-ce qui se passe? Mes yeux tournent. J'ai le vertige. Un vertige insensé.

Sans l'appui providentiel de la solide table d'acajou massif, Kakatika serait tombé devant les gardes, les fonctionnaires, les indigènes rassemblés au cercle. Tête, cœur, poumon, nerfs de la ville. C'est terrible. Tout se dérobe sous ses pieds, tourne autour de lui : la maison, les gardes, les indigènes qui le regardent avec de grands yeux interrogateurs et énigmatiques.

6

Ce fut une semaine plus tard que Kakatika put remettre les pieds au bureau pour s'occuper des affaires de son cercle qui allaient de mal en pis. Un cercle de plus en plus vicieux et infernal.

Jugez-en vous-même. Ce matin, outre l'affaire du cercle, cette étrange affaire de la carte d'identité de Mélédouman, doivent être jugés quatre cas de viol. En particulier, l'horrible assassinat d'une femme enceinte violée au préalable, et la quatrième affaire, une affaire de fesses, un cas qu'on pourrait qualifier de viol avec consentement.

Pour se retrouver dans ces bacchanales, un classement fut nécessaire. Des numéros furent donnés comme dans une dynastie royale : viol I, viol II, viol III (pour varier dans cette monotonie ennuyeuse de viols, le III fut appelé « assassinat »).

Quant au viol IV, quel nom lui attribuer ? On trouva par dérision, ironie et peut-être par manque d'imagination, la « vierge folle ».

Et cette liste, bien entendu point limitative, n'est que la liste officielle. On passe sous silence bien évidemment tous les viols officieusement permis, en tout cas tolérés, des garde-flocos passés maîtres dans cet art difficile, délicat, un art de la nuit des abysses et de l'enfer. Bref une véritable épidémie, une épidémie de viols. Gnamien Pli, le patron des flocos, soutient même que tout homme qui n'a jamais violé est un indigne puceau, et toute femme qui n'a jamais été violée est une vierge, qui n'a jamais connu la jouissance réelle. Et si secrètement elle en éprouve du remords, du chagrin ou du regret une fois venue la vieillesse, qu'elle s'en prenne à sa laideur, seule responsable.

- Gardes, faites entrer les plaignants du viol I.

Précédée par ses parents, une fillette âgée d'à peine neuf ans pénétra dans la salle, suivie d'un colosse balafré, à la mine patibulaire, son violeur.

- Alors, qu'est-ce qui s'est passé ?

C'est la mère qui répondit furieuse :

- Mon commandant, la fille était malade. Elle est restée à la maison avec ses frères et ses sœurs Ce diable l'a emmenée dans sa sale cabane pour la violer. Zèbre, ta figure, on dirait peau de léopard pour tam-tam de malheur. Toi aussi tu veux femme ! Regardez, mon commandant.

Elle montra alors le petit « kodjo » maculé de sang, les cuisses qui portaient encore des traces évidentes de violence.

Se tournant vers le violeur, le commandant interrogea, songeur.

- Non, mon commandant. Femme là il mentit contre moi. Fille là c'est d'accord avec moi.

- Ce n'est pas d'accord. Ce n'est pas d'accord, intervint la mère avec vigueur. Regardez-moi ça. Ton corps sale. Son odeur on dirait piment et poisson pourri. Adjovan-Bamako mélangés. C'est d'accord ! Et les cuisses, le sang dans le kodjo, les perles coupées, le pagne déchiré...

Le commandant questionna le violeur :

- Elle était consentante, dis-tu ? Et les traces de violence sur les cuisses, le sang dans le slip ?

- Le sang là, elle connaît pas garçon encore, c'est ça. Au commencement elle a fait palabre. Quand elle voit que c'est bon elle est d'accord. C'est elle-même qui a attrapé mon chose là.

- Heu, heu. Toi-là tu mens quoi. Tu peux boire féti-

50

che ? Tu peux boire fétiche ? C'est la Mort qui va payer toi.

— Est-ce que vous l'avez pénétrée ? s'enquit le commandant Lapine fort intéressé par le récit.

— Heu, heu...

— Réponds à la question. Elle est importante pour le droit, pour juger de ton innocence ou de ta culpabilité.

— Je ne connais pas, mon commandant. Je n'ai pas attention.

— Tu n'as pas fait attention ! Mais enfin, à quoi as-tu fait attention alors ? Tout de même !

— C'est un fou. On n'a qu'à le tuer, revendiqua le père qui reprenait le verdict de sa femme à son compte.

— Mais on ne tue pas les gens comme ça, sans preuve de leur culpabilité.

Calmez-vous, je n'ignore pas la douleur des parents qui voient leur fillette violée. Mais il faut que la justice suive son cours normal. Et pour le droit, il n'y a viol que lorsqu'il y a pénétration vaginale et éjaculation spermatique.

— Il a baisé cette enfant. Sa figure, on dirait zèbre et léopard mélangés. Ses dents taillées, c'est fourchettes du diable pour manger viande de l'homme la nuit.

— Ma fille, tu sais parler, oui ? Tu n'es pas muette. Tu n'as pas perdu ta langue avec ta virginité, j'espère ?

— Oui, missié.

— T'a-t-il pénétrée, le monsieur ?

— Oui, missié.

— Profondément ? T'a-t-il mouillée ?

— Je ne sais pas, missié.

— Étais-tu d'accord ?

— Non ! Non, missié ! il m'a forcée. Il était plus fort que moi.

— A la fin, tu étais un peu excitée. Alors tu étais d'accord, n'est-ce pas ?

- Non, missié, type là il ment sur moi, quoi. C'est Éhobilé Agaman qui va te payer (serpent noir : le fétiche le plus terrifiant de la région).

Mais comment savoir ? Aucune affaire n'est aussi difficile à trancher qu'une affaire de viol. Aussi, embarrassé, le commandant Kakatika Lapine renvoya-t-il l'affaire chez le médecin africain pour l'examen de l'hymen.

Et les garde-flocos de partir de leurs commentaires paillards. Elle n'a pas l'air timide, la petite. Eh, dis, petite, tu as éprouvé du plaisir ? Avoue. J'ai un instrument plus précis que ton médecin africain, et attention, ça va vite. Le commandant Kakatika Lapine, qui ne comprend pas les langues locales, ne saura jamais qu'il y a des experts en gynécologie au cercle, et que ce n'était pas la peine de descendre jusqu'au quartier indigène pour dénicher le médecin africain dans sa taupinière médicale.

Le viol II était un véritable casse-tête juridique et coutumier. D'abord la femme violée était mariée. C'était donc un cas adultérin. Ensuite le viol avait eu lieu dans la forêt. La terre étant souillée, une purification s'imposait. On exigeait des sacrifices spéciaux, faute de quoi non seulement elle deviendrait stérile mais porterait malheur à tout le village. Les génies offensés jetteraient sur le village le plus effroyable des sorts : toutes les femmes frappées de stérilité et les hommes d'impuissance. Cette affaire devait en conséquence être jugée deux fois. Une première fois au tribunal de la justice des Blancs et une seconde fois suivant la procédure coutumière.

Les circonstances de ce viol sont particulièrement comiques. La femme travaillait dans son champ en compagnie de son mari, quand une envie furieuse d'uriner la prit. Elle alla donc à l'orée de la forêt. Vint à passer un chasseur revenu bredouille de sa quête de gibier. Les fesses de velours découvertes de la femme courbée, le parfum excitant de l'urine qui tombait, tout cela excita tellement notre téméraire et sensible chasseur, que perdant tout contrôle, il passa par-derrière la belle, l'excitante, la veloutée urineuse. La rapidité chasseresse du geste habile fut telle, avait expliqué l'urineuse violée, qu'elle ne s'en aperçut que lorsque la puissante chose érectile était profondément entrée en elle, et déjà la chatouillait. Elle tut à ce niveau sa propre réaction, après le criminel, le coupable chatouillement. Le mari, on ne sait trop comment, ayant découvert nos deux coïteurs acrobatiques, se mit à crier comme un fou, à poursuivre tout à la fois son épouse et notre athlétique chasseur devenu gibier, pour lui fendre le crâne, pour lui couper l'instrument géniteur, indiscipliné et adultérin.

Car ici on ne badine pas avec l'infidélité des épouses.

Quant au viol III, quelle horreur ! C'était la nuit. Une femme enceinte prenait paisiblement son bain, derrière les maisons, dans un petit enclos fait de feuilles de cocotier tressées.

La lumière pâle d'une vieille lampe à pétrole permettait de deviner les formes sensuelles du corps de la nocturne baigneuse, en particulier les rondeurs sombres de ses seins gonflés de tous les sucs de la terre et du ciel. C'est ce qui fit le malheur de Kouamé, rôdeur professionnel. En effet, nul dans la ville n'ignore que les femmes ont coutume de se laver, venue la nuit, après les multiples préoccupations ménagères, dont le repas du soir n'est pas la moindre. D'invisibles rôdeurs, admirateurs furtifs aux intentions coupables, venaient s'accroupir derrière les petites fenêtres qui ne manquaient jamais aux palissades mal tressées. Ils venaient assister en spectateurs éblouis et fascinés au dévoilement divin des beautés cachées qui exécutaient, avec des gestes exquis, les dernières toilettes intimes pour le bonheur des maris impatients d'accueillir dans leurs bras forts et chauds de frêles corps, humides des parfums de la nuit et du soleil défunt. Kouamé, lui, ne se contenta pas ce jour-là du rôle discret du voyeur secret qui jouit avec l'œil, hypnotisé. Il voulait toucher, palper, caresser, pénétrer, jouir avec le sexe, les yeux étant devenus insuffisants, si grande était la beauté de cette femme qui portait dans ses entrailles gonflées toute la tentation du monde. Il lui mit donc le cache-sexe sur la bouche pour l'empêcher d'appeler et la viola. Mais elle rendit l'âme en rendant tout le désir qu'elle portait, sans que Kouamé s'en aperçût, tant profonde était sa jouissance. Que faire ?

Pris d'une espèce de folie meurtrière et sadique, il viola encore le cadavre, ouvrit le ventre, arracha le bébé, une petite fille, et la viola avant de la jeter par-dessus la palissade avec un cri éclatant, un rire hystérique. Sur le visage un sourire énigmatique, comme si la jouissance s'y était figée en un masque lumineux de joie satanique. Un bonheur indélébile et impénétrable. De sa «cellule de vérité» où il avait été jeté sous la torture permanente, Mélédouman entendait son cri obsédant. Un chant serein et funeste. Un chant sorti des profondeurs de la terre et du ciel. Je l'ai violée puis je l'ai tuée. Je l'ai assassinée. J'ai arraché le bébé, je l'ai violé. Quel beau bébé ! Ses cheveux bouclés pour un voyage au bout de la nuit. Oui, je l'ai violée. J'ai violé le ciel. J'ai violé la terre. J'ai violé la vie. Puis, gueulant comme un forcené, il se mit à conjuguer le verbe violer à tous les temps, à toutes les personnes, à tous les modes. Je viole, tu violes, il viole, nous violons, vous violez, ils violent.

J'ai violé... J'avais violé...

Je violerai... Qu'il viole... J'ai été violé...
Ah ? ah ! ah ? hi ! hi ! hi ! ho ! ho ! ho ! Le violeur violé !
Ah ! ah ! ah ! hi ! hi ! hi ! hé ! hé ! hé ! Le violeur violé.

On est toujours violé par quelqu'un, par quelque chose. Et on viole toujours quelqu'un, quelque chose. La terre est habitée par des violeurs qui s'entreviolent. Viole-moi que je te viole. Viole ma terre que je viole ta terre. Viole mon ciel que je viole ton ciel. Viole mon domicile que je viole ton domicile. Viole mes champs que je viole tes champs. Viole ma fille que je viole ta fille. Viole ma sœur que je viole ta sœur. Viole ma mère que je viole ta mère. Viole ma parole que je viole ta parole. Viole mon lit que je viole ton lit. Ah, ah! ah! hi! hi! hi! hé! hé! hé! Et si la folie avait raison! Et si la folie du monde s'exprimait ainsi innocemment à travers la folie d'un violeur! Un odieux violeur devenu fou à cause d'un crime horrible et d'un viol insupportable. Kouamé était affreux et pitoyable à voir. Avec ses yeux hagards qui regardent on ne sait où. Le monde absurde de la violence, peut-être, le monde bestial de l'agression, sans doute. Comment juger une personne dans un pareil état? Aussi ne le jugea-t-on pas.

Le viol IV, l'histoire de la «vierge folle», ferma cette série noire de viols.

- Que s'est-il passé? demanda rituellement le commandant Kakatika Lapine.

Ce fut la fille elle-même qui parla, empêchant son père de répondre à la question.

- Je dormais. *Dans la chaleur de cette nuit étoilée, comment voulez-vous qu'on puisse garder son pagne, si léger soit-il, sur soi? Je n'avais donc pour tout vêtement pour cacher ma pudeur que mon cache-sexe pourpre. Bien sûr, je savais que faire l'amour n'était pas désagréable. C'est même le contraire.*

Les copines, expertes, m'en disent assez long pour que j'aie une petite idée sur cette grande question. Je dormais donc, seule dans la petite chambre attenante à celle de mon père.

Avec les histoires que les copines racontent sur les délices du plaisir sexuel, le septième ciel, les caresses savantes.

Combien de nuits, avec l'imagination fertile qui est la mienne, combien de nuits n'ai-je pas rêvé, au milieu de beaux frissons, aux bras forts, aux reins souples et sportifs d'un beau garçon !

Cette nuit-là, je perçus une sensation exquise, voluptueuse, me pénétrant, cheminant le long de mes reins, de mon corps, jusqu'à m'inonder complètement d'un voile onctueux. M'envelopper d'un manteau ineffable.

C'était tellement beau et extraordinaire que je crus rêver comme c'est le cas souvent. Mais je fus tirée de mon sommeil par un coup de rein plus vigoureux, plus audacieux que les autres. O divin mystère ! Ce n'était pas un rêve mais Adoni, le beau garçon de la cour mitoyenne, qui, souvent, jetait sur moi ses grands yeux de feu qui me brûlaient.

Je fermai mes bras autour de sa virile taille. C'est ainsi que caressée de partout, je fus obligée de lui rendre ses pièces d'or. Nous nous caressâmes et nous fîmes l'amour toujours comme en rêve, quoique réveillés et bien réveillés.

Papa survint à l'improviste au moment où le rythme de nos deux corps voluptueux, lascifs, magnifiquement enlacés, s'endiablait...

Je dormais...

Le père intervint, frustrant le public du récit qu'il attendait :

- Tu n'étais pas d'accord puisque tu dormais. Il t'a violée.

- Non, papa. Non, papa ! *Pourquoi n'ai-je pas crié ? Je ne suis pas muette tout de même. Je sais parler. J'ai éprouvé un plaisir fou, un plaisir infini. Je ne veux pas qu'on le condamne aux travaux forcés. Si d'aventure on*

56

le condamnait, qu'on nous condamne tous les deux!
S'il est coupable, je suis aussi coupable. Nous sommes coupables tous les deux.

- Non, tu n'es pas coupable. Il est le seul coupable, c'est lui qui t'a violée. Enfin, quelles mœurs, ce garçon ! Dans quel pays, sans crier gare, pendant que les vierges dorment, on bondit ainsi sur elles comme des lions affamés ?

C'est incroyable ! T'a -t-il prévenue ? T'a -t-il donné un rendez-vous ? A-t-il parlé à tes parents ? Non, alors ?

- Mais, papa, ce n'est pas important tout ça ! Ce sont des détails.

- Mais si, mais si, comment, ce n'est pas important ? Ce sont peut-être des détails, des détails, mais des détails essentiels, importants.

- Mais, papa, c'est bien toi qui as dit que le pied de la poule ne tue jamais ses enfants. Regarde mes cuisses : aucune trace de violence.

- Pense à la suite. Déjà regarde comment tu marches. Un vrai crabe.

- Mais, papa, si tu veux, je peux te montrer mon vagin. Il est intact, je t'assure. Il m'a pénétrée normalement, sans brutalité ! Sinon je m'en serais rendu compte avant qu'il ne me pénètre aussi profondément. Tu sais bien que j'ai le sommeil très léger. Je ne dors que d'un œil. Le moindre bruit suspect me réveille. Alors, je t'assure, papa, il ne m'a pas déchirée comme la vieille peau d'un tam-tam troué.

N'en pouvant plus, tout le monde se mit à rire, en plaisantant gaillardement.

C'est un drôle de tam-tam, cette fille ! Il faut la voir au lit ! Comment elle peut frapper pour tourner la tête à son monde comme une féticheuse !

Et te le faire sauter comme du plakali. Avec une musique et une danse et un tam-tam pareils !

Le père, enfin coincé, ne savait que dire :

- Mais quel obstiné, ce Mamadou !

- Non ! non ! ma fille, tu es vierge ! Tu es vierge ! Et Adoni va me payer ça cher ! Il t'a violée, il t'a déviergée. Il t'a humiliée. Il a humilié la famille. Il t'a déshonorée. Il a déshonoré la famille. Il faut qu'il paie maintenant que tu as perdu ton honneur. Qui voudra de toi comme femme ?

La réponse tomba, comme toujours candide, désarmante, innocente et pure :

- Mais lui, papa. Ce n'est tout de même pas toi qui m'épouseras ?

- Tais-toi ! Tais-toi ! Tu es une folle, complètement folle, folle à lier. N'oublie pas que tu es une musulmane. Si tu aimes le plaisir sexuel par vice, Allah te punira.

Drôle d'affaire de viol où les vierges violées, folles, défendent leur violeur avec une innocence désarmante.

Le tribunal, après avoir écouté cet étrange dialogue entre le père et la fille, remit encore une fois le verdict à la prochaine séance. Et d'ailleurs quel verdict prononcer après qu'Allah a déjà condamné la violée ?

La dernière affaire était, bien entendu, celle qui aurait dû passer la première.

C'était l'affaire de la carte d'identité.

Pendant la semaine que dura la maladie du commandant Kakatika Lapine, après son choc au cœur, les garde-flocos ont continué d'appliquer chaque jour son ordre concernant le prisonnier Mélédouman : « Matez-le. » Ils l'ont si bien maté et torturé, excès de zèle aidant, qu'il en est devenu aveugle. Qu'est-ce qu'ils ont bien pu mettre dans ses yeux ? Quelles tortures spéciales ont-ils appliquées à ses yeux ? Est-il aveugle pour toujours ou temporairement ? Pourra-t-on le guérir ou restera-t-il aveugle pour le restant de ses jours ? Ses yeux, ses beaux yeux perçants, ne verront-ils plus jamais la lumière, le monde, sa beauté, ses merveilles, ses fleurs, ses cascades ? Quelle terrible condamnation : ne plus voir la lumière, le visage de ceux qu'on aime ! Les yeux, ah ! perdre les yeux ! Mon Dieu, quelle misère ! Cette nuit dans laquelle Mélédouman se trouve plongé !

Un œil, des yeux, que peut coûter un œil ? Que peuvent coûter des yeux ? Quel est le prix d'un œil, quel est le prix de deux yeux ? Quel est le prix de la nuit ? Quel est le prix de la lumière ? De la beauté du monde ? Du beau visage, du visage resplendissant, des couleurs des cheveux d'une femme aimée ? Oui, quel prix ? Quelle valeur ? Quelle valeur ?

Comment réparer l'irréparable ?

Le convalescent commandant Kakatika Lapine posa la question d'une voix sénile, posa une question presque bête, quand Mélédouman fut devant lui, paisible et serein :

- As-tu retrouvé ta carte d'identité, Monsieur Mélédouman ?

Mais la réponse de Mélédouman, qui ne le rata pas, rendit la question encore plus bête, idiote, debile même :

- Comment l'aurais-je retrouvée ici et dans cet état ?

Le commandant Kakatika se rendit compte de sa sottise et, un peu honteux, il ordonna ;

- Eh bien, qu'on le libère et qu'il aille la chercher où il l'a laissée ! Il est le seul à le savoir.

Je te donne pour cela sept jours. Pas un jour de plus. Pas un jour de moins.

Sait-on jamais, peut-être avec ta carte d'identité tu retrouveras à nouveau l'usage de tes yeux perdus !

Voilà ! voilà ! Sept soleils, trois lunes et quatre nuits pour retrouver ma carte d'identité. Ainsi pensait Mélédouman. Aveugle, malade, torturé. Dans cet état d'extrême accablement il faut que je réussisse cette terrifiante entreprise : chercher une improbable carte d'identité. Où aller ? Que faire ? Chers ancêtres, soutenez mes pas chancelants sur cette route jonchée d'invisibles embuscades.

7

Le Blanc me demande ma carte d'identité
Mon frère Anoh Asséman.
Il faut que je la retrouve.
C'est une question de vie ou de mort.
 Mon frère Anoh Asséman
 Me voici
   Nu
    Aveugle
     Torturé
      Accablé
Les fers aux pieds
De lourdes chaînes
Des chaînes enragées
 Des menottes
 Des scies pestiférées
 A mes poignets sanglants
A la recherche de ma carte d'identité perdue
Me voici mon frère Anoh Asséman
Debout au gouvernail rude et aride
De mon peuple au destin
De hérisson et de taupe.
 Me voici au gouvernail
 D'une périlleuse embarcation
 Sur les eaux agitées
 Offrant ma large et calleuse
 Poitrine à toutes les balles
A tous les naufrages
A toutes les tempêtes
D'une nature hostile.

Ma large et profonde poitrine
Burinée par toutes les souffrances
Par toutes les apocalypses
Par tous les naufrages
Par les courroux de toutes les mers
Mon immense et invulnérable poitrine
A toutes les rosées d'épines
De ce chemin matinal
Encore jonché
De tous les dangers de la nuit
De tous les cauchemars
De toutes les horreurs.
Quel beau rêve ai-je fait
Tellement pour aimer tant
Le lit et le sommeil.
Mais puisqu'il faut partir tôt
Pour arriver tard
Afin d'assister à la beauté
Des levers de notre jeune soleil
Aux splendeurs de son crépuscule
Aux couleurs radieuses
Des grands couchers de lune
Sur l'oasis
Partons
Levons-nous prompts
Comme le serpent totem
Affûtons sur le rocher généalogique
De notre destin de granit et de latérite
Notre couteau pour trancher sans appel
Toutes les épines des sentiers précoces
Effilons notre langue droite
Aussi tranchante
Que le verdict de notre condamnation à mort
Aussi tranchante que l'épée
De Damoclès suspendue

Sur nos têtes
Levons-nous prompts
Avant le chant du coq
Pour lui faire don de notre voix flûtée
Afin que son chant matinal
Qui doit encourager les marcheurs
Prononce bien
Les belles gerbes de mots
De ma main tressées
Pour leur victoire et leur gloire
    Levons-nous prompts
       Avec le coq
Pour guider ce peuple mien
Ce peuple encore aveugle
Sur le chemin incertain et sinueux
Qu'il va falloir emprunter
Pour traverser le fleuve
De triste mémoire.
Si nous voulons échapper encore une fois
A l'humiliante vie de l'esclave
    Pour un destin Pokou
    De liberté
         De gloire
            De joie
               De bonheur

Oui mon frère Anoh Asséman
Nous voici donc nus
Frileux face à notre destin : stupéfaits
Au sommet de la grande montagne désertique.

Puisqu'il faut semer
Vaille que vaille dans le désert
Pour notre survie.
    Semons donc
    En guise de limon
    Les rayons

Si demain nous voulons
Que la cueillette des cascades
Pour la prospérité de notre progéniture
Réponde à l'écume
A la soif de nos arides lèvres
Après tout le soleil est source
De verdure et de vie
Et nos larmes opulentes
Arroseront toujours le sable
Pour nos chameliers infortunés
Las du long piétinement
Des chemins épineux
Bordés de cactus géants
    C'est dit
    Passons
La fraîcheur inespérée
Nous attend
Au carrefour du soleil
Au zénith
Quand meurt la nuit
    A mi-nuit
Le désert cultive la démesure
Des aurores prévues
Le désert cultive la démesure
Des températures extrêmes
Tant mieux pour nos gorges gonflées
Soif, tentation et chant d'espoir
Mon frère Anoh Asséman
    Semons
Semons
Tenons haute et ferme
Notre daba
La large et monumentale daba
La daba de l'ingénieux peuple sénoufo
Tenons-la furieuse

Comme les vagues naufragées
>Oui mon frère Anoh Asséman
>Nous voici nus
>Au sommet de nos chaînes
>Le cœur en sang
>La main en sang
>Les pieds en sang
>Le sang en sang

Nous avons tant marché
Aux pieds ces lourdes chaînes
A la bouche le chant de gloire
De nos indignes maîtres
>Nous avons tant marché
>Sur le chemin sinueux et rugueux
Semé de pierres coupantes
Des gerbes éclatantes de notre sang
>Ah que d'hémorragies
>Nous avons vaincues pour survivre
>>Semons donc
Semons les graines ardentes du soleil
Préparons les sillons lumineux
Et semons les racines du soleil
Semons le Nil futur
Pour des rêves insoupçonnés
>De fertilité
>De pyramides humaines
>Libérées de toutes les soifs
>Des vallées limoneuses
>De toutes les chaînes
>Semons le soleil
>Torche de gloire
>Phare de misère, de souffrance
>>Et canne
>>Pour aveugle perdu
>>Sans carte d'identité

Le commandant blanc me réclame, exige ma carte d'identité. Un ultimatum m'est lancé. C'est une question de vie ou de mort. Que faire ? Où aller ? Où ne pas aller ? Où la retrouver ? Où la chercher ? Aveugle. Torturé jusqu'au fin fond de mes yeux.

Mes cils brûlés, mes prunelles arrachées.

Veilleur de nuit désormais, j'ai perdu le sommeil. Je ne peux dormir ni fermer les yeux. C'est la torture extrême : privé de lumière et de sommeil.

Seule me guette, patiente, la mort. Je suis au bord de mon cercueil, de ma tombe. Tout m'abandonne, mon âme, mon esprit, mon histoire, mon passé. J'ai tout perdu : ma mémoire, mes souvenirs.

Me voici attelé à une tâche ardue, aride, sinon impossible.

L'amnésie à la recherche des souvenirs perdus, de ma mémoire qui tressaille, qui me trahit, qui s'oublie elle-même. Le temps a tout envahi. Tout couvert de son manteau illisible. Une vieille cité, un tapis d'herbe a tout couvert en un jour, en une nuit, une semaine, un mois, une année, un siècle, des siècles, que sais-je ? Un tapis d'herbe , en lambeaux, lui-même envahi à l'origine du temps, du grand temps. A la source du fleuve, du grand fleuve de la mémoire oubliée qui s'oublie. Il faut pouvoir remonter le cours. Ce cours tumultueux, peuplé de crocodiles, de caïmans, d'hippopotames, de requins, de cascades, de dangers hors de tous soupçons. Remonter ce cours infailliblement, jusqu'à la source, au sommet de cette haute montagne d'où il sourd, remonter le fleuve oublié de ma mémoire perdue. De ma carte d'identité perdue. Une carte aussi précieuse. Le commandant me l'avait fait remarquer : la carte d'identité, c'est la vie. Je m'en rends compte aujourd'hui : la carte d'identité, c'est plus que la vie. Alors, pourquoi, pour la garder, la dorloter, choyer, pouponner, soigner, n'ai-je pas pris plus de temps, plus de délicatesse, plus d'affection, plus d'amour, plus de passion que ça ? Pourquoi cette négligence ? Cette négligence coupable qui me coûte les yeux de la tête ? Une négligence suicidaire. Aujourd'hui une menace grave pèse sur moi. Il m'est enjoint de la retrouver. Question de force majeure. Il faut la retrouver dans n'importe quel cas. En lambeaux, en ruines, en morceaux, en bribes, en pièces, déchirée, en guenilles, en fragments, en loques, en haillons, illisible, indéchiffrable, effacée par la pluie, les intempéries, mangée par les termites, les cafards, dans n'importe quel état imaginable et inimaginable. Mais quoi qu'il m'en coûte, à n'importe quel prix, il faut que je la retrouve morte ou vivante. Même sous forme de momie. Il me faut remonter le temps à l'envers, refaire à l'envers le chemin parcouru, suivre à l'envers le cours sinueux de ma mémoire. Va pour les méandres, va pour les cascades. Va pour les chutes.

Où avais-je bien pu passer ?

Remonter patiemment le cours du temps à la recherche du temps perdu. Jouer au Sherlock Holmes de l'histoire, de la mémoire, du destin. Aujourd'hui commence la semaine sacrée, la semaine sacrée de huit jours. Ô semaine sacrée. C'est avec toi que je commence ma recherche. La recherche sacrée de ma carte d'identité perdue.

Ô semaine de mes aïeux ! Vous qui êtes morts et qui vivez encore d'une vie plus pleine que cette vie morcelée qui est la mienne. Vous qui êtes au pays de la vérité absolue. Tendez vers moi une main secourable. Ô semaine des dieux protecteurs de nos grands-pères ! Vous qui vivez hors temps, hors espace. Vous chez qui le temps n'est plus temps. Le temps s'est arrêté à l'horloge de la grande vérité du monde, la grande vérité dévoilée qui repose dans la splendeur originelle. Dans l'éblouissement immaculé des premiers jours, donnez-moi votre magnificence. La magnificence de la lumière dévoilée, la lumière aveuglante du monde. Ô esprit ! Ô âme de mes ancêtres ! Initiez-moi à votre science, la science du temps primordial, du temps inaugural. Puisque j'inaugure un temps nouveau, un nouveau calendrier. Le calendrier sacré de mon identité. Le temps sacré de ma mémoire. Le temps sacré de mon identité perdue, volée, violée, durant mon sommeil. Le long sommeil de l'oubli, le long sommeil mortel ! Ô momie ! Ô mémoire de momie ! Vous, pharaons immortels de l'Égypte, auriez-vous d'aventure le secret, le grand secret celé de mon identité, de ma mémoire fragmentée, semée aux quatre vents, aux quatre points cardinaux du monde ? Et toi, mon frère Anoh Asséman, première racine de mon arbre foudroyé. Toi grand-père du grand-père du grand-père de mon grand-père. Moi petit-fils du petit-fils du petit-fils de ton petit-fils. Je t'implore. Toi Anoh Asséman à la mémoire hors mémoire. Tends vers moi ton regard de statue de pierre. Fais-moi quelques signes de tes prunelles. Un homme prévenu en vaut combien ?

Quand on perd un objet précieux de la main gauche, on le confie à la main droite. Voici donc détachés quelques fragments de ma douloureuse mémoire. Je tiens ce journal sacré en mémoire de mon oubli.

Aveugle à la recherche improbable du calice de ma mémoire. Force m'est de consigner tous mes faits et gestes. Les moindres gestes de ma main oublieuse. De mes pieds oublieux qui perdent la trace de mes pas sur chaque sentier suivi. Le cheminement, les traces de mon image, de mon miroir. Ô toi miroir déformant ! Ô toi miroir fidèle de mon visage ! De mon beau visage lépreux. De mon beau visage déchiqueté, de mon éblouissant visage de statuette en pierre. De statuette en or. De statuette en diamant. Toi ma petite fille fidèle

Ebah Ya, toi seule vaux cent filles. Toi Ebah Ya ma petite fille, ma vierge, ma petite fille féconde. Toi aux mains patientes de tisserand tu sculpteras désormais ma progéniture avec cette minutie, avec ces gestes maniaques, cette habileté magique du prestidigitateur que prennent seuls ceux qui guettent la mort et qui connaissent le prix de la vie. Qu'est-ce qui grouille, fourmille ainsi en moi ? Déjà les signes infaillibles des vers qui déjà se mettent à table ? Viens donc Eba Ya ma petite fille féconde, ma précoce fille prolifique. Prends ma main et guide-moi. Guide mes pas aveugles sur tous les chemins perdus de notre cité, la grande cité légendaire de Bettié. Guide mes pas à tous les carrefours pour rechercher mon identité perdue. Prends ce monumental miroir. Qu'il renvoie une monumentale image miniature. Miroir chasseur de l'impossible image de mon visage perdu : nez, bouche, œil, front, cheveux, joue. Me voici chasseur, un chasseur peu ordinaire, un chasseur aveugle. Ma présente petite fille : nous avons tous deux le même âge. Et moi quel est mon âge ? Je le saurai quand je verrai, quand je retrouverai ma carte d'identité. A présent je n'ai pas d'âge. Je suis un enfant, un adolescent, un adulte. Je suis un vieillard. J'ai tous les âges. Domicile inconnu.

Signes particuliers : néant. Né le... De père inconnu. De mère inconnue. Sans famille. Ma petite fille Ebah Ya, vingt fois recommençons le jeu infatigable des siècles, puisqu'il faut recommencer, recommençons. Demandons au tisserand le jeu infatigable des navettes sculpteuses. Demandons à Anoh Asséman le geste rituel du baptême de nos pères. Dans ma main tissée en corbeille de liane fleurie de bougainvilliers et d'orangers, je t'apporte, pour cette cérémonie solennelle et grave, les fruits de nos champs : du piment fort, du gombo, des aubergines, du manioc, de l'igname sacrée pour la fête du même nom, de la banane, du taro, mais surtout du sel pour t'initier au goût amer des nourritures servies pour nos noces de vingt ans. Recommençons la cérémonie du baptême puisque nous avons perdu notre nom, notre identité, notre taille, nos frères et sœurs portés manquants au naufrage négrier de la diaspora. Eux aussi perdus corps et âmes.

Comment t'appelles-tu ? Mélédouman. Je n'ai pas de nom. Viens, ma petite fille, précède-moi sur la route invisible de notre destin caché. Précède-moi. Mais attention où tu mets tes pieds désormais. Mes pieds auront tes yeux, soutiens-les avec la fermeté de ton âge, la force innocente de ta foi d'enfance. Suivons le calendrier sacré d'Anoh Asséman, le calendrier millénaire, le calendrier ancestral ; qu'il sacre et consacre notre science des gestes salvateurs. Aujourd'hui, c'est le dimanche sacré Anan Morè, demain sera le lundi sacré Anan Kissié. D'un pas ferme suivons le chemin sacré de notre nouvelle gloire, de notre nouveau nom, de notre nouveau visage.

Anan Morè	: Dimanche sacré
Anan Kissié	: Lundi sacré
Anan Djorè	: Mardi sacré
Anan Manlan	: Mercredi sacré
Anan Ouhoué	: Jeudi sacré
Anan Ya	: Vendredi sacré
Anan Fouè	: Samedi sacré
Anan Morè	: Dimanche sacré.

ANAN MORÈ
(Dimanche sacré)

Avec sa tignasse pouilleuse, sa maigreur famélique, ses joues que les larmes, dans le silence funéraire des nuits, ont creusées en profonds et sinueux sillons, ses yeux exorbités, Mélédouman était méconnaissable : un véritable cadavre ambulant.

Rebelle, mauvais esprit, on lui interdit de recevoir les visites de sa famille. Seule sa petite-fille Ebah Ya, âgée d'à peine sept ans, fut tolérée à ses côtés. Ce n'est qu'au septième jour de sa détention qu'on lui permit de se laver. En effet, les gardes eux-mêmes s'étouffaient à force de pincer leur nez pour éviter de respirer la puanteur dégagée par la cellule de la vérité. Pour empester, elle empestait. Avec la suffocante chaleur y montait une odeur irrespirable. Chaîne aux pieds, menottes aux poignets, ne pouvant bouger, Mélédouman était obligé de tout faire dans cette case hygiénique : selles et urine dans un vieux seau criblé de trous : une vraie passoire. Celui-ci au reste tenait lieu de tabouret et de grabat. En effet, la cellule de vérité qui, en fait, était celle de la mort, était tellement minuscule et basse que le prisonnier ne pouvait ni s'asseoir, ni rester debout, ni se coucher. Il était ainsi plié, comme si un invisible et lourd fardeau pesait tour à tour sur sa tête, ses épaules et son dos zébré par les fouets.

Les autres prisonniers qui avaient pour corvée quotidienne le nettoyage des lieux ne venaient plus. L'une des sanctions prises contre ce mauvais génie, pour le mater, était de laisser pourrir son cagibi. Cet objectif était atteint au-delà de tout espoir. Paradis des asticots géants, des grosses mouches prolifiques aux ailes luisantes, qui faisaient un tapage d'enfer, la cellule de la vérité est un réduit on ne peut plus repoussant. Il mérite bien son nom : Ébissoa, que les Noirs ont donné aux prisons : maison de caca. On voyait fourmiller dans le pagne de ce curieux condamné une armée révoltée de vermine : vers et poux, puces, cafards, blattes organisaient perpétuellement un joyeux défilé militaire, accompagné bien sûr par la fanfare de la colonie dynamique des mouches et des moustiques.

Les rats, les souris jouaient le tam-tam du requiem. C'est cette situation affolante qui donna à Mélédouman le droit mérité de prendre son bain de fin de semaine.

A l'occasion de ce bain mémorable, Mélédouman eut une idée étonnante pour un prisonnier dans son état. Il supplia Ebah Ya de lui apporter un miroir. Un miroir pour voir quoi ? Un miroir pour se mirer et voir sa pouilleuse tignasse ? Quelle drôle d'idée pour un aveugle ?

Quoi qu'il en soit, la petite Ebah Ya, avec la profonde affection qui la liait à son grand-père, était revenue avec un monumental miroir. Qu'elle traînait, ne pouvant le porter. Peut-être pensait-elle naïvement que la taille du miroir devait correspondre à la taille de ses sentiments. Ce miroir ne devait plus quitter le prisonnier. Personne ne fut donc surpris qu'il l'emportât avec lui le jour de sa libération surveillée. D'ailleurs c'était l'unique bien qu'il possédait. C'était un spectacle digne de tous les regards que cet aveugle, titubant sur les routes caillouteuses de Bettié, guidé par sa petite Ebah Ya, et qui tenait sous l'aisselle ce monumental miroir.

De toute évidence, la première place où Mélédouman eût pu laisser choir sa carte d'identité était son domicile. C'est pourquoi, dès sa libération, il en prit le chemin. Mais quel calvaire ! Un véritable chemin de croix. Descendre cette colline, dans cet état précaire, par cette canicule, pour se rendre au quartier indigène où habitait Mélédouman, était un réel exploit.

- Nanan, fais attention. Il y a un trou devant toi.

La petite Ebah Ya qui guide l'homme n'en finit pas de le mettre en garde contre les nombreux obstacles du chemin. Nanan, à gauche se trouve un fossé. Nanan, attention, il y a des épines. Nanan, ne va pas trop loin là-bas. Il y a un tapis de mauvaises herbes, les herbes piquantes.

La petite Ebah Ya et l'aveugle allaient ainsi titubant sur les routes cahoteuses. Quel cœur ne se serrait en voyant ce couple tâtonnant, comme enveloppé de nuit, sous cette fournaise, par ce dimanche sacré, Anan Morè ! Ce jour-là, à cause de la sainteté du jour, personne n'avait été au champ afin d'éviter la profanation de la terre, l'offense aux différents génies : eau, ciel, terre. Il y avait donc foule à Bettié. Pour ne pas rencontrer tous ces gens sur son chemin, avec leurs regards indiscrets et leurs nombreuses questions inopportunes, la petite Ebah Ya dut passer par de curieuses ruelles dont elle était seule à posséder le secret. Ces tortueuses ruelles traversaient certaines cours avant d'aller à nouveau serpenter dans le vert tapis, sorte de pont d'herbe qui reliait les différentes cours. C'est ainsi qu'un méandre les jeta dans la cour du notable Abadjinan. L'une des personnalités les plus respectées, les plus influentes, possédant une coquette fortune. Ce respect, cette influence, cette fortune, Abadjinan les mettait au service des arts du royaume. Il avait fait bâtir, à côté de sa maison, un vaste hangar aux murs de banco et au toit de chaume, sous lequel différents artisans venaient exercer leur métier.

Par la suite, ce hangar devait devenir, petit à petit, par la force des choses, un centre culturel en miniature. Une cité de l'art, une cité de création permanente qui finit par s'imposer à tous et donner son nom au quartier.

Le quartier fut donc baptisé le « quartier des génies ».

L'art était considéré ici, outre sa vocation originelle qui est l'expression de la beauté et des formes originales, comme l'expression sacrée de forces invisibles et surnaturelles scellées par les génies. Il faut donc capter, maîtriser, séduire ces forces à travers les formes esthétiques, à travers les œuvres d'art. Et plus une œuvre est belle, plus elle est efficace à remplir cette seconde mission. Une œuvre d'art est donc autant un fait esthétique que religieux, qu'un fait sacré : on crée la beauté en l'honneur des dieux et des génies. Ce quartier est donc à double titre le « quartier des génies », génies divins et génies humains qui se révèlent à travers les formes.

C'est avec une profonde émotion, une joie intime que Mélédouman entra dans cette cité, obsédé par la quête tâtonnante de sa carte d'identité perdue.

Il y avait là des forgerons, des potiers et des potières, des tisserands, des sculpteurs, des bijoutiers. Dès qu'ils aperçurent le prince, le « Dihié » Mélédouman, ils se levèrent tous comme un seul homme en un magnifique mouvement gymnique.

- Nanan yako, Nanan yako, yako.
  Afai Manou, Toubabou, Toubabou Manou,
  Borofouè Manou. Que dieu te garde !
  Que Dieu te garde ! Que Dieu sauve ton âme, noble prince ! Tu as souffert sur cette terre. Tu as souffert entre les mains des Blancs.
- Comment ça va, Nanan ?
- Rendons grâce aux mânes.

- Nanan, et cet immense miroir ? Dépose-le à terre. Tu le reprendras en partant.

- Ça peut aller, ça peut aller, mes enfants, je vous remercie. Au reste, malgré son poids il n'est pas si lourd que ça.

Chacun le salua avec les deux mains réunies en bouquet, en signe de respect et de vénération. A sa voix Mélédouman reconnaissait sans hésiter chacun des hommes et des femmes qui lui parlaient. Pour certaines voix que l'affectueuse émotion faisait trembler ou nasiller quelque peu, la petite Ebah Ya venait au secours de l'homme.

- Nanan, mais c'est Mokan, la mère d'Ago.

- Ah ! oui, oui, sa voix a bien changé. Et son visage, ma petite fille ?

- Inondé de larmes, Nanan.

- Ma fille, viens près de moi. Soutiens mes pas chancelants avec ton corps encore plein de vigueur, de beauté, de fécondité et de santé. Soutiens-moi, Mokan, que ton sang frais coule dans mes veines taries.

- Nanan, je suis à côté de toi, répondit Mokan d'une voix larmoyante. Ne pleure pas, petite mère, ne pleure pas. Quand on met du piment dans tes yeux, sois reconnaissante à cette main criminelle. Elle est en train d'ouvrir tes yeux pour te révéler le monde. Pour te dévoiler la profondeur abyssale de la vie. Sache, ma fille, que la vérité de la vie est en graine de piment. Sèche tes yeux. Ne laisse pas mouiller leur bel or. Garde-le pour chamarrer notre nouvelle couronne. Demain, tu souriras, ma fille. Sèche, sèche ton beau visage avec le linceul de ma voix affligée, de ma peau triste et de mes yeux douloureux.

Pendant que Mélédouman et Mokan conversaient, les autres vinrent les entourer, et chacun d'exprimer son point de vue. Tantôt tristement, tantôt douloureusement.

- Mais, Nanan, assois-toi, il y a du bon bangui de palme frais dans le canari. Assois-toi. Quant à nous, nous allons continuer notre travail. Noble Abadjinan te tient compagnie. Il faut bien que notre création continue, n'est-ce pas, notre esprit inventif d'antan ne s'arrête jamais, n'est-ce pas, dit le plus vieux des artistes en plaisantant.

Les créateurs partis, Dihié Abadjinan lui donna alors un siège sculpté. Une véritable fresque historique comme le canari qui contenait le bangui. La maison d'Abadjinan est un véritable musée. L'homme s'assit donc pour se reposer, écouter la rumeur de l'atelier avant de rejoindre son domicile. Car le notable Abadjinan habite juste en bas de la colline résidentielle, dans les contreforts, parmi les cocotiers, les palmiers, les bananiers. Il bénéficie ainsi des beaux restes de la colline : du sable fin de la Comoé qui avait délégué généreusement l'un de ses plus beaux affluents pour orner le paysage. Pour sa toilette, le quartier des génies s'en fait une parure admirable. Passé ce quartier, en amont du ruisseau, le paysage devient de plus en plus mystérieux jusqu'à la presqu'île sacrée dominée par un fromager patriarcal, palais de tous les dieux, de tous les génies. C'est le domaine sacré. L'affluent de la Comoé a réussi ce miracle, séparant le domaine des dieux par cette eau merveilleuse qui laisse juste aux hommes un lacet de terre pour s'y rendre. L'accès est strictement interdit. Hormis les initiés, quiconque s'y rend établit en même temps son passeport pour l'autre monde. C'est l'habitation des masques terrifiants, des statues sacrées, des figurines possédées.

- Dis-moi, Dihié Abadjinan, tu sais, lors du baptême de ta fille Alliè Yofè (« *la nourriture est douce sinon je me laisserais mourir de faim* »), n'aurais-je pas laissé tomber ma carte d'identité chez toi ?

- Non, Nanan, je te l'aurais fait rapporter. Un papier aussi précieux ne se garde pas longtemps chez les autres.

- A qui le dis-tu ! Le commandant me la réclame à cor et à cri. Il m'a lancé un ultimatum. Pour la retrouver il m'accorde une semaine. Pas un jour de plus, pas un jour de moins. Comme tu vois, je suis en liberté surveillée. Ma libération totale semble être conditionnée par la possession de cette fameuse carte d'identité.

- Mais enfin, je ne comprends rien, je ne comprends pas cette histoire. C'est tout de même fantastique. Est-ce la raison de ton arrestation ?

- Je n'en sais rien, moi.

- Comment tu n'en sais rien ! On dit toujours aux gens pourquoi on les arrête. On ne met pas ainsi les fers aux pieds des gens sans justification : c'est absurde. Il fallait poser la question, demander des explications. C'est ton droit, tu sais.

- Je sais bien. Je sais bien. J'ai passé tout mon temps à exiger ce droit, mais en vain : bouche cousue, il n'a rien voulu me dire.

- C'est étrange, dans ce cas, pourquoi toi ? Le plus pacifique de la ville.

- Va savoir. Le dessein des Blancs est insondable comme celui des dieux.

- Oui, les Blancs sont quelquefois incompréhensibles, malgré leur évidente intelligence, ils agissent parfois comme des gosses, de vrais gosses.

- Il m'est enjoint de retrouver cette carte d'identité, faute de quoi je ne sais pas ce qui m'attend. Il faut que je me rende chez moi, que je me rende partout où une chance, si ténue soit-elle, existe.

- Mon Dieu, quelle effroyable mission ! Lancé ainsi, à ton âge, dans le vide, à la recherche d'une carte d'identité ! Toi si connu ! A quoi ça va servir ? Enfin, qui ne te connaît ? C'est absurde.

- Le malheur, c'est que ce n'est pas l'avis de Kaka-tika.

Tout en devisant en compagnie d'Abadjinan, Mélé-douman, avec la double vue, le sixième sens des aveu-gles, devinait les gestes, les moindres gestes des travail-leurs. De temps en temps, quand Abadjinan le quittait, appelé par l'une de ses nombreuses occupations, si le besoin s'en faisait sentir, on lui permettait de toucher aux objets d'art. Que d'œuvres d'art ! Que d'œuvres d'art ! Que de chefs-d'œuvre ignorés ! Il y a là, magni-fiée, l'âme profonde du peuple. Que de créateurs anonymes, que de génies, de grands génies muets, sans nom et sans yeux, sans taille, sans père ni mère, sans carte d'identité ! Que de chefs-d'œuvre qui fascinent même la main d'un aveugle ! On y retrouve aussi bien des scènes de la vie quotidienne que des œuvres d'une imagination inventive extraordinaire.

Tout ici est symbole et s'enracine dans la grande et belle mythologie akan. Quelquefois les lois naturelles sont délicieusement renversées, comme avec cet auda-cieux petit rat en argile qui avale un gros serpent boa.

Des scènes comiques s'incarnent ainsi fertilement dans toutes les matières : argile, bois, cuivre, bronze, or. Profondément imprégnés par cette merveilleuse culture populaire, ces créateurs anonymes, aux gestes altiers, concourent, chacun à sa manière, à résoudre les puzzles, les mots croisés du grand visage fragmenté de l'Afrique.

Gestes de potière, gestes de potier, gestes de sculp-teur, gestes de tisserand, gestes de bijoutier, gestes transfigurateurs, gestes sacrés, est-ce vous qui avez brûlé mon visage ? Gestes de feu du bijoutier, du forgeron, gestes embrasés du tisserand sombre à l'ombre de ton baobab impassible.

Est-ce un fragment de ma carte d'identité que tu tisses, que tu sculptes, que tu forges, que tu modèles, que tu cisèles ?

Cette sueur qui t'inonde, son clapotis mélodieux, sueur laborieuse qui perle sur les plis indéchiffrables de ton visage de labyrinthe, quelle source mystérieuse l'abreuve, la nourrit ? Et toi, figurine en argile cuite, statuette en bronze, guerriers fiers sur vos chevaux de fer, à la conquête posthume des empires du Mali, du Ghana, du Mossi... Quel étrange dialogue avez-vous engagé avec le feu purificateur, pour lui arracher aussi facilement ce nouveau souffle vital, ce souffle jailli des flammes : la vie et l'immortalité ? Et toi, statuette en terre. En poussière qui ne veut plus retourner en poussière. Toi qui luttes contre l'une des terribles condamnations de l'homme. Toi, statuette d'argile, fille mythique de l'union sacrée des dieux, eau et terre. Argile du ruisseau vespéral de mon enfance. Aide-moi à sauver ton visage fragile menacé par la poussière en épargnant le mien guetté par la lèpre du temps. Et toi, bois sculpté qui as échappé à ta vocation funèbre de cercueil et de cendre, comme j'ai mal au cœur, aux poumons, aux pieds qui saignent. Bois crucifix, c'est dans ma chair qu'on enfonce les clous de ton destin funéraire auquel de justesse tu as échappé. Et c'est moi qui suis enfoui sous terre dans un cercueil de pierre, d'argile et de fer.

Et toi, sculpteur, mesure plus nonchalamment tes gestes bienfaiteurs.

Tu es en train de lutter contre ta mort, ma mort, notre mort. Et cette odeur forte de pharmacie qui m'enveloppe, est-ce un linceul déjà maculé de mon sang ? Est-il le signe annonciateur de ma guérison, de ma convalescence ou de ma mort ? Docteur sibyllin d'outre-tombe, réponds-moi. Je me prosterne à tes pieds d'argile, à tes jambes en bois et à tes mains de fer. Et ce couteau frêle, magique, qui, petit à petit, sauve le bois anonyme par le baptême d'un visage nommé, égale le geste sacré des dieux. Et toi, bijoutier au visage, au corps d'or, je te confie mon rêve immortel d'être immortel. Vous tous, aux gestes de labyrinthe, je vous devine tous heureux et inondés de joie malgré vos haillons.

Au revoir, je vous laisse là, épanouis, avec Dieu, votre compagnon de misère, qui vous sauvera, je m'en laisse volontiers persuader, de la mort.

ANAN KISSIÉ
(Lundi sacré)

Mélédouman et Ebah Ya continuent leur recherche sacrée de la carte d'identité.

- Maintenant, il faut que je me rende chez moi. Je soumettrai à une fouille méticuleuse toutes les caisses qui traînent sous mon lit. Ma fille, nous allons jouer aux archéologues. Je passerai tout au peigne fin. Si par hasard, dans mon étourderie, j'ai jeté cette fameuse carte d'identité quelque part, je finirai bien par la retrouver.

- Hiééé... Nanan, nous tuerons un bœuf pour fêter ça. Nous boirons cent verres de kaolin, dit Ebah Ya, en esquissant un pas de Mpé, saisie d'un enthousiasme, d'une gaîté bien de son âge.

- Oui, ma fille... Koutoubou Yé! Les cigales... Hâtons-nous, la nuit ne saurait tarder.

- Oui, Nanan.

Pour respecter l'ordre de son grand-père, la petite Ebah Ya pressa le pas, utilisant encore une fois sa connaissance parfaite de la géographie de la ville.

Sur Bettié le soir tombait nonchalamment. Calme. Paix. Beauté. Le crépuscule fastueux enterrait dans la pourpre et l'or les derniers rayons du soleil. Tout le paysage l'accompagnait, pénétré, fasciné par le don mystérieux de tant de parures que la nature offrait aux hommes, aux animaux et à la végétation pour leur repos. Fête des sens et des dieux cachés sous les grandioses couleurs. De temps en temps, le clapotis de la Comoé et la dernière symphonie de la gent ailée passionnée de musique, dernier hymne à la vie et au soleil, venaient· rompre l'harmonie fragile entre le jour et la nuit, la vie et la mort, le repos et le travail. Dans le firmament rougi s'allumaient déjà les premières étoiles, tremblant de joie à l'annonce de leur empire. Leur reflet dans l'eau dansait, tressaillait vaguement, dans l'entrelacement des palétuviers en fleurs. Les filaos sombres jouaient à cache-cache avec la clarté crépusculaire.

Beauté naturelle. Beauté créée par l'homme. Qui saura jamais le lien secret qui vous unit ? Qui le premier, de l'homme ou de la nature, a rompu le frêle cordon ombilical qui vous reliait ? Ouvrier de la beauté. Travailleur de l'immortalité. Travailleur de l'aube. Ouvrier de l'aurore. Quel trésor pourra jamais récompenser votre œuvre ?

Mélédouman se souvenait de ce paysage avec une précision si étonnante qu'il en devinait les contours les plus déliés, qu'il en reconstituait les plus subtiles nuances. Tout à sa méditation, il n'eût prêté aucune attention à la fureur pourtant inhabituelle des tambours si Ebah Ya ne l'en avait tiré.

- Nanan, le tambour parleur.

- Hum...

- Le tambour, Nanan... écoute... le tambour parleur.

- Tiens, c'est curieux... Le tambour rituel Attoungblan ! Que se passe-t-il ?... Quel jour de la semaine sommes-nous aujourd'hui ? J'ai tout perdu, jusqu'à la notion de temps.

- Nanan, nous sommes Kissié aujourd'hui. Tout à l'heure, j'ai entendu Abou Abadjinan dire à Mokan que c'est un Anan. Oui, lundi, lundi sacré.

- Attoungblan, un lundi, même sacré, cela n'est pas normal. Qu'est-ce qui se passe donc ?

Mélédouman tendit l'oreille : c'est un concert de tous les tambours. Chose encore plus curieuse, le Kinian Pli, le grand tambour sacré, qui ne sort du bois sacré, de l'île sacrée, qu'une fois l'an, à l'occasion de la fête de l'igname et de l'adoration des chaises royales, de la fête du Trône, mêle son rugissement effroyable de lion blessé à la symphonie.

- Hiééé !... Hiééé !... Nanan, le Kinian sacré vient de la Mission catholique.

- Sapao...

- Nanan, sapao...

L'étonnement de Mélédouman se transforma en stupéfaction : la justesse de la remarque d'Ebah Ya ne tarda pas à être démontrée.

- Hééé... Hééé... Mô... Mahouooo... Je suis morte ! Venez voir... Venez voir...

Pour la première fois Ebah Ya faillit laisser la main de Mélédouman, bousculée, emportée qu'elle était par la marée ou plutôt la tempête humaine.

- Qu'est-ce que... mais...

- Nanan... je ne comprends rien.

Dès cet instant, Mélédouman fut mené tambour battant, par la foule, vers la Mission catholique. Les choses se passaient avec la rapidité de la gazelle poursuivie par la panthère, tant et si bien qu'il s'y retrouva sans savoir ni comment ni pourquoi. Les tambours crépitaient avec frénésie.

- Le Père-Féticheur est kakafouè. Kakafouè, kakafouè le Père-Féticheur. Le Père-Féticheur est en transe !

- Le Père-Féticheur est possédé par les génies !

- Le Père-Féticheur est possédé par les génies des Blancs !

- Okôh !

- Oda !

- Gnamienpli… Bracoo… Grand Dieu, viens me sauver !…

- Ah ! Le… le… pépépére …Jojo… Josèphe…, bégaya Yao.

- Ah ! On avait dit qu'un jour les génies se fâcheraient contre le Père Joseph. Avec tous les ennuis qu'il leur fait.

- Les Blancs ! Les Blancs ! Ils veulent toujours tout nier. Tout profaner. Ils se croient toujours plus malins que les autres.

- Oui, les Blancs, ils croient tout connaître. Tout expliquer.

- Oui, oui, oui, on va voir aujourd'hui ce qu'on va voir ! On va voir aujourd'hui ce qu'on n'a jamais vu depuis la création du ciel et de la terre.

- Sapaao.

- Sapaao.

- Le marabout de Kong et le marabout de Bondoukou se rencontrent aujourd'hui !

- Manfô ! Prêtre blanc contre prêtresse noire ! Y a pas match aujourd'hui. Enè o ènè… aujourd'hui, c'est aujourd'hui !

Les réflexions fusaient de toutes parts. A la Mission les femmes frappaient des mains à s'en déchirer les paumes. Certaines, plus inspirées, lançaient du kaolin pour apaiser les esprits en colère.

Ablé, la plus grande féticheuse, la plus ravissante, la plus célèbre, Ablé, la grande Ablé, au pouvoir surnaturel, Ablé, la fille enfantée par les Dieux, les Génies, Ablé, la grande Ablé elle-même était là.

Elle était entourée de ses apprentis sorciers, ses sorcières, ses féticheurs et ses féticheuses à initier. Elle était accoutrée d'une manière à faire peur aux plus courageux des guerriers. Elle tenait à la main une lance tridentée, symbole du pouvoir magique. Immergée dans le poison le plus mortel, celle-ci a la faculté de foudroyer sans appel, la nuit comme le jour, tous les diables bahi-foué les plus endurcis, les mieux immunisés. Deux cornes de buffle qui surmontent sa coiffure, fermement lancées dans la conquête du clocher de la petite église, jettent le mauvais sort à l'entour à quiconque osera lever les petits doigts, hormis ceux qui frappent les tambours. De chaque côté de cette étrange coiffure pendent deux clochettes que le moindre mouvement de la tête fait résonner d'une façon épouvantablement assourdissante et sinistre. Quant au corps de la coiffure elle-même, il est tressé de cauris qu'entourent deux miroirs incrustés à même le tissu d'un rouge aveuglant.

Autour de la taille un gros serpent noir, vivant : Ehobilé Agaman, son génie : la gueule ouverte, la langue bifide, farouche. Sa jupe d'une blancheur lactée est ceinte d'une multitude effrayante de têtes d'animaux, de gris-gris de toutes sortes. Les yeux étincelants jettent mille feux menaçants.

Il y avait là évidemment tous les grands initiés, ceux qui sont en contact avec le monde invisible : magiciens, sorciers, guérisseurs, ceux qui «voient clair», ceux qui voient l'invisible, les esprits, tous les Bosson, les Lokossué, les Kakatika. Ils étaient là, accoutrés de la même façon qu'Ablé, ils étaient là, à cet étrange rendez-vous chez le Père-Féticheur. Celui-ci, au milieu de tous ces adeptes de l'occultisme, était méconnaissable. En effet, sa robe blanche le faisait ressembler à s'y méprendre à ceux-ci. Plus que jamais le père Joseph mérite son célèbre sobriquet. On l'avait appelé ainsi à cause de son acharnement à brûler les fétiches, à récolter les statuettes, les masques sacrés, pour orner son salon qui devint le «bois sacré urbain», plus riche de jour en jour que les vrais bois sacrés pillés. Les mauvaises langues racontaient même, non sans quelque justification, que derrière cet acharnement évangélique se cachait une contrebande florissante des œuvres d'art ainsi arrachées aux mains païennes des génies forestiers. Le succès évangéliquement commercial de l'entreprise rendait le père Joseph de plus en plus audacieux.

Mais ce jour-là mal lui en prit. Il était allé profaner l'île sacrée, pour piller tout ce qui s'y trouvait. Les plus beaux des objets sacrés de son butin furent ceux de la collection des tambours parleurs au-dessus de laquelle trônait la plus belle pièce, le Kinian Pli, le tambour parleur sacré. A lui seul il constituait un musée : toute l'histoire du royaume de Bettié s'y trouvait racontée en bande sculptée.

Avertie par la société secrète des «Komian», Ablé l'initiatrice, la gardienne de l'île, la reine des féticheurs, avait dû agir, faute de quoi elle aurait perdu son autorité, son prestige et sa réputation. Chose plus grave : d'aucuns auraient pu soutenir qu'elle avait perdu sa puissance, détruite par celle des Blancs, plus forte. L'enjeu était donc, pour elle et pour sa corporation, d'une importance capitale. Conflit de deux mondes, de deux puissances, de deux pouvoirs.

A la tête d'une véritable armée d'apprentis sorciers, noyés sous le poids des fétiches protecteurs, les plus méchants, les plus cruels, ceux qui octroient infailliblement l'invulnérabilité, Ablé était donc allée à la Mission aux fins de réclamer les précieux objets subtilisés. Mais le père Joseph ne l'entendait pas de cette oreille. La guerre sacrée était donc déclarée. Une pagaille paganique s'ensuivit. Notre invulnérable armée entra dans l'église, sans se faire prier, pour arracher des mains impies de Jésus les objets précieux profanés. Car ils étaient rangés sous l'œil protecteur de ce dernier, de la Vierge et des saints. Acculé, le père Joseph demanda du renfort à ses chrétiens pour démontrer que le tambour parleur n'était qu'un morceau de bois sans valeur et surtout sans pouvoir. Mais devant Ablé, la puissante Ablé, quel chrétien aurait osé toucher au tambour parleur sacré ? Plus le père s'égosillait, plus les chrétiens reculaient, de peur de voir jeter sur eux et sur leur famille le plus effroyable des sorts. Plus ces chrétiens l'abandonnaient, fuyaient, plus une colère convulsionnaire le saisissait. Et pour le malheur de notre Père-qui-est-sur-la-Terre, Dieu éprouvait le même amour pour tous ses enfants, même païens, surtout païens. Le bon pasteur n'a-t-il pas une préférence pour ses brebis égarées ? Jésus, la Vierge et les saints demeurèrent donc imperturbables, neutres, et laissèrent le pauvre père dans les pattes impitoyables et cruelles de ses brebis galeuses noires.

Au reste le Christ n'en est pas à sa première guerre religieuse. Les croisades avaient une autre dimension en fait de massacres. C'était tout cela qui était à l'origine de la transe médiumnique, trépignante, du Père-Féticheur. Ablé avait donc fait battre le tambour parleur sacré, et grâce à Radio-Bettié la nouvelle comme une traînée de poudre était parvenue au quartier indigène : en un clin d'œil elle était parvenue, mais hélas largement déformée, comme toutes les sources orales. Elle était parvenue quelque peu schématisée, simplifiée : la puissance d'Ablé est supérieure à celle des Blancs, le Père-Féticheur est en transe, possédé par les génies.

- Hiééé... Hiééé, hiééé...
- Sapaao...
- Sapaoo... houoo...
- Mô ! man... houooo...
- Je suis mort, tu m'as tué...
- Allons voir ça.

Et les femmes de laisser tomber leurs fagots, d'abandonner leurs repas du soir, les pilons au bord des mortiers, le foutou entamé sans surveillance. C'est à qui arrivera la première à la Mission. Les seins brinquebalaient contre les poitrines, le tambour rythmant la course folle. Même les hommes ! Ah ! les hommes, habituellement si dignes et si fiers ! Les hommes à l'abri de cette curiosité toute féminine : potins, commères et commérages. Les hommes pour une fois renversent leur awalé, leur bangui, leurs jeux de damier, pour aller voir ça.

- Oko.
- Oda.
- Un Blanc possédé par les génies !
- Hiééé..., hiééé, hiééé... allons voir ça !
- Diaaa... les Blancs aussi ont des génies !
- Bien sûr, qu'est-ce que tu crois ?

- Mais les Blancs, ce sont des hommes comme nous. Et le Fétiche, c'est Dieu qui l'a créé ; donc les Blancs aussi ont des fétiches, triompha Koutou Kouakou le raisonneur.

- Il paraît même qu'ils adorent leurs morts comme nous.

- Et les statuettes qui sont à l'église, qu'est-ce que tu crois ? Ce sont des fétiches habités par leurs Génies.

- C'est vrai ça ?

- Oui, c'est vrai, je jure sur Gnamien. Je jure sur la tête de mon grand-père.

- Un Blanc en transe ?

- Allons voir ça.

Les bébés, les enfants délaissés piaillaient à tout rompre, en appelant leur mère rendue sourde et indigne par l'extravagance de la nouvelle. Le chef du village, pratique, réunit, en un tournemain, le conseil du village, les notables. On en conclut à la nécessité d'offrir aux génies des Blancs — un génie est un génie — un mouton, des poulets, des œufs et du gin. Aussitôt dit, aussitôt fait.

Cependant que quelques sceptiques interrogeaient encore, insistaient, voulaient en savoir plus long.

- Est-il muet ou parle-t-il ?
- Il demande pardon aux Génies offensés. Il veut même abandonner son Dieu, pour adorer le nôtre, adorer Ehobilé Agaman. S'initier avec Ablé.
- Manfô, les Blancs n'ont rien vu encore. Cela ne fait que commencer. Olaï, ça c'est trop fort. L'île sacrée que tout le monde craint, lui il dit qu'il n'a pas peur. On va voir.

Les tambours continuaient de plus belle. Les mains commençaient à saigner à force de les frapper. Dans un tohu-bohu indescriptible, tout le village se trouvait rassemblé à la Mission, transformée, en la circonstance, en une cour de danse des Fétiches. Tout ce tintamarre ne faisait qu'augmenter la trépidation, le trépignement de notre malheureux père. Et ces indigènes qui endiablaient le rythme envoûtant, ensorcelant du tambour parleur sacré ! Au fur et à mesure que les spécialistes de la question arrivaient, ils remplaçaient les apprentis, ce qui embrasait l'assemblée.

Les transes gagnaient féticheurs et féticheuses. Une jeune initiée se déshabilla. Les mauvais esprits priaient Dieu que la transe durât le plus longtemps possible tant était beau et magnifique le spectacle ainsi mis à nu : des seins d'une beauté, d'une fermeté qui n'ont d'égal que la ferveur, la jeune foi et l'art avec lequel le dévoilement fut obtenu : exquis. Tout cela augmentait le vertige de notre père qui, épuisé, tomba évanoui, écumant. Il fut abondamment arrosé d'eau bénite et de kaolin. On le transporta, à moitié mort, dans son salon, pour le coucher, tout maculé de kaolin, de coquilles d'œuf ; parmi les bêlements des moutons, le caquetage des poules.

Une fois les esprits forestiers partis, le Père-Féticheur revint à lui. Il ne trouva point, hélas, ses trophées qui s'étaient envolés avec les génies noirs. Il n'assista donc pas à l'arrivée triomphale d'Ablé au village, son javelot olympique tridenté au poing et Ehobilé Agaman plus que jamais luisant.

Il ne réalisera que plus tard que, profitant de son avantage, Ablé, la terrible Ablé, avait fait piller l'église et emporter toutes les statues : le Christ, la Vierge et les saints.

Le mouton, le gin offerts par le chef avaient donc servi à adorer les nouveaux Dieux, les nouveaux Génies, gardés en bonne place, dans l'île sacrée, à côté des autres statues sacrées. Comme elles, ils eurent droit à leur ration de sang, le beau sang chaud giclant à la gueule de Jésus, de Marie et des saints. Ils eurent même droit à leur foutou pimenté. Toute la nuit on dansa le Sideer, l'Indénié, le N'do, l'Aboudan, le Grolo, le Balafon. On mit autour de leurs tailles, de leurs pieds et de leurs mains, des perles multicolores. Autour de leurs têtes des chapeaux faits de cauris et de miroirs. Ils devinrent ainsi Blofoué-Bosson : génies des Blancs. Selon les lois coutumières de la guerre, le vainqueur réduit en esclavage le vaincu : le Christ, la Vierge, les saints vaincus devinrent donc les kanga, les esclaves du Grand Génie d'Ablé : Ehobilé Agaman, le roi, l'incontestable monarque.

Mais Dieu, qui n'oublie jamais ses martyrs, envoya la lune, une lune à l'éclat divin, et un concerto pour cigales, oiseaux de proie et tambours sacrés, afin de consoler le père Joseph.

Ayant totalement repris possession autant de ses esprits que de son souffle évangélique, il voulut vaquer aux affaires de son ministère. Ce n'était pas un homme à se laisser abattre, à dévier de sa piste en direction du paradis, si brillamment tracée parmi les ronces et les esprits, le kaolin, les œufs, les masques et les tambours diaboliques.

Prompt comme le serpent totem, il se leva pour aller prier à l'église afin de remercier Dieu, même si celui-ci avait préféré les brebis pleines de gales, de pian, de lèpre, de tuberculose et autres maladies honteuses qu'on imagine. Dieu, quel spectacle de désolation ! Sa vieille lampe à pétrole, qu'il tenait à la main, tomba et faillit mettre le feu à l'autel. *abandon. Jesu*

- Les vandales, les vandales, ils me le paieront cher. Oser profaner le saint autel du Christ ! Mon Dieu, pardonnez-leur, car ils ne savent pas ce qu'ils font. Mon Dieu, mes statues, mes statues, mes statues ! Le Christ, la Vierge, saint Joseph, le père du Christ. Mon Dieu !

Le père Joseph ignorait que l'un des saints qui avait été épargné était précisément saint Joseph. La preuve, on le retrouvera dans un champ de manioc. Plusieurs autres saints furent d'ailleurs semés dans diverses plantations. Quoi d'étonnant quand on sait comment nos croisés des forêts mystérieuses avaient quitté l'église : en débandade.

On apprendra plus tard que le commandant averti avait haussé les épaules et répondu au Père-Féticheur venu l'alerter :

- Si les féticheurs volent le Christ, les saints et la Vierge, c'est qu'ils ont compris qui est le vrai Dieu, où est la vraie religion ! Bravo, mon père ! Bravo, mon père ! Les Noirs évoluent. Beau résultat. Félicitations, mon père.

C'est en sortant de l'église dans l'état qu'on imagine qu'il trouva Mélédouman assis sous un palmier, à côté de la petite Ebah Ya. Dès qu'il le vit, un sourire crispé, gêné, se figea sur ses lèvres. Mais très vite son habileté, son hypocrisie, sa duplicité habituelle eurent raison de l'embarras et de la fatigue. Excellent comédien, en un clin d'œil, il entra dans la peau du personnage chrétien, charitable, généreux, plus attentif aux malheurs des autres qu'aux siens. Il fit donc, avec une aisance diabolique, table rase des deux événements du jour : sa transe déjà devenue historique, déjà inscrite dans les archives orales du royaume, et le pillage des objets sacrés.

- Ça, par exemple, Mélédouman, quel plaisir de vous revoir ! Quel bon vent vous amène par une nuit pareille ? Heureusement que la lune éclaire autant que le soleil. Je viens à peine d'apprendre votre libération et vous venez déjà me voir ! C'est vraiment gentil de penser à nous par un jour sacré pareil.

- Dans mon état et avec toutes ces bousculades, je suis à bout de forces. Alors je me repose un peu chez vous. Je profite de la fraîcheur ; il fait si bon. Veuillez m'en excuser. Mais, mon père... votre jour sacré, je croyais que c'était le dimanche. Nous sommes lundi aujourd'hui.

- Peu importe, Mélédouman. Ce qui est sacré est sacré. Dieu est Dieu.

- C'est nouveau, ce raisonnement, mon père. Et je suis heureux de voir que sur ce plan vous évoluez dans un sens plus tolérant. Mais dans ce cas, mon père, pourquoi profanez-vous nos statuettes, nos masques, nos bois sacrés, pourquoi brûlez-vous nos Dieux ?

- Mélédouman, il y a Dieu et Dieu, il y a Sacré et Sacré.

- Ah, bon. Et qu'est-ce qui permet de les distinguer, de distinguer les bons dieux des mauvais ?

- *Quelle question saugrenue ! Ah, ces nègres ! Comment poser une question aussi idiote ? Et cet animal-là est un prince ; ça c'est le comble !* Qu'est-ce qui permet de distinguer les vrais Dieux des faux ? Mais Dieu, pardi !

- Lequel ?

- *Mais qu'ils sont cons !* L'unique Dieu. Il n'y en a pas deux à ma connaissance.

- Où est-il ? Lui avez-vous parlé ? Qui vous donne le droit de tenir le vôtre pour vrai et celui des autres pour faux ?

- *Mais qu'ils sont cons ! L'animisme, une religion ? On adore n'importe quoi. Les arbres, les statues, les ancêtres, les pierres, les génies, la terre, le ciel, les eaux.*

Je me suis tué à traduire la Bible en agni, à les soigner, à les instruire comme des enfants. Comme des enfants. J'ai passé toute ma vie à leur montrer le chemin du vrai Dieu, l'unique, le Dieu chrétien. Et voici qu'ils ont encore peur des morceaux de bois, sacré nom de nom, putain de nègres. Comment peut-on avoir peur d'une putain de féticheuse qui fait des simagrées ! Va-t'en comprendre quelque chose. Ou plutôt si : je comprends maintenant. C'est parce qu'à la moindre difficulté, au moindre obstacle de leur vie, au moindre ennui : qu'un enfant soit malade, qu'un mari vienne à abandonner sa garce de femme, sa guenon de maîtresse, alors ils vont tous se fourrer chez cette salope d'Ablé. Tous autant qu'ils sont, ils étaient et demeurent animistes. La religion catholique, la sainte religion, c'est du vernis pour eux : vernis, oui, c'est du vernis. Ils n'abandonneront jamais leurs fétiches, pour adorer le vrai Dieu. C'est peine perdue. Dieu, que peut-on faire avec des animaux pareils ? Ont-ils seulement une âme qu'on peut sauver, sauver par le salut chrétien ?

Mélédouman, que Dieu vous accorde sa grâce et assez de lumière pour que vous répondiez vous-même à cette question. Mélédouman, Dieu vous accordera son salut, j'en suis persuadé. Dieu vous accordera son salut sur la terre comme au ciel. Je me suis laissé dire par Radio-Bettié que vous avez été torturé en prison. Pardonnez-leur car ils ne savent pas ce qu'ils font.

- Merci, mon père, de prier pour moi, pour le salut de mon âme. Que votre Dieu vous entende ! Pour

93

l'heure c'est plutôt ce corps qu'il faut sauver, le sauver de la décomposition, de la désintégration, de la vermine, de la putréfaction, de la pourriture générale : ce cancer, cette gangrène qui me ronge jusqu'à la moelle des os.

Quant à mes tortionnaires, ils savent très bien ce qu'ils font, au contraire, ne vous faites pas de souci pour eux. Ce qu'ils cherchaient, c'est à mettre fin à cette lancinante agonie qui est la mienne, c'est à m'achever. Ils veulent m'achever : il s'agit d'une euthanasie, de la charité en somme, un sentiment fort chrétien.

- Mélédouman, Dieu saura reconnaître, à la fin du monde, au jugement dernier, les justes. N'aie crainte, notre Dieu est un Dieu d'amour et de miséricorde. C'est pourquoi il a envoyé sur la terre souffrante son fils bien-aimé, son fils divin pour son salut. C'est l'unique Dieu et c'est le Dieu chrétien.

- Il faut croire que ce fils n'est pas encore arrivé à Bettié, avec tout ce qui s'y passe.

- Oh, Mélédouman, ce n'est pas grave ; nous en avons vu bien d'autres. Si vous voulez faire allusion aux statues volées à l'église, j'en parlerai dès demain au commandant.

- Pourquoi ? Ils ne font que vous rendre la monnaie de votre pièce. De fait, quelle est la différence entre vos statues et celles que vous pillez ?...

- Piller, c'est trop dire... La différence, c'est que les statuettes chrétiennes sont de simples symboles et non de vrais Dieux qu'on adore. Par exemple, on ne met pas du sang, des œufs, du gin, du kaolin, sur ces statuettes. On ne leur donne pas à manger ; on ne sacrifie pas sur elles des moutons, des poulets, que sais-je ?

- Mais, mon père, ce sont des détails ; de toute façon, les animistes ne sont pas les seuls à suivre ces rites : le rite du sacrifice, d'immolation d'animaux.

Fondamentalement, quand vous dites une messe, devant une statuette de la Vierge, même si en tant que symbole elle représente autre chose qu'elle-même, cette messe ne s'adresse-t-elle pas matériellement à cette statuette de la Vierge ? Il y a une forme de l'adoration qui s'adresse directement à elle. Qui pourra purger toutes les religions de cette tenace nostalgie animiste ?

Mais quand je disais que le Christ n'est pas arrivé à Bettié, je ne faisais pas allusion à vos propres malheurs, mais à ceux du peuple de Bettié.

Votre religion est une religion d'amour, dites-vous. Aimez-vous les uns les autres comme je vous ai aimés. Aimez votre prochain comme vous-même. Qu'en est-il à Bettié ? Et même chez vous ? Tout le monde est bon, tout le monde est charitable. Tout le monde vit dans l'amour, la fraternité, l'amitié de Dieu et du Christ au pays des Blancs ! Tout baigne dans un bonheur paradisiaque au pays des Blancs ! Bravo, mon père, quel divin résultat vous avez obtenu là ! Ce sont donc toutes les haines recueillies, toutes les angoisses, tous les désespoirs jetés par-dessus bord qui doivent être bus à la goulée par les Nègres. Vous comprenez, cette mer-là est difficile à boire.

- Nanan, vous posez là de graves problèmes. Si tous les chrétiens vivaient chrétiennement, on n'aurait pas exigé cette patience pour avoir accès au Paradis après la mort. Mais le Christ lui-même ne nous a-t-il pas mis en garde : « Faites ce que je dis et non ce que je fais. »

- Je comprends pourquoi il y a tant de guerres, tant de violence, tant de prisons chez vous. Chaque chrétien suit l'exemple du prophète, conseille l'amour aux autres alors que lui-même conserve le savoureux venin dans son propre cœur. Vous conseillez l'amour aux Nègres alors que vous les méprisez. Si c'est pour en arriver au résultat que vous avez obtenu chez vous, laissez-nous en paix.

Laissez nos masques, nos statues, nos bois sacrés, nos dieux en paix.

- Mais ils sont en paix, Nanan. Tout le monde est en paix ici. Tenez, sentez-vous cette paix qui descend sur nous ?

- Enfin, à chacun sa paix, mon père.

Ce n'est qu'au moment de se quitter que Mélédouman posa la question au père Joseph :

- N'auriez-vous pas vu une carte d'identité traîner à la Mission par hasard ?

- Comment voulez-vous qu'elle s'y promène comme ça toute seule ? Vos visites chez nous sont rares.

- Sait-on jamais ! J'étais venu chez vous à l'occasion du baptême de l'une de mes petites-filles. Avec mes nombreuses poches, je ne m'en sors plus. Et maintenant j'ai tous les problèmes du monde.

- Oui, je vous comprends. Une carte d'identité est une pièce indispensable. C'est le plus précieux de tous les inutiles papiers qu'on traîne dans ses poches. Et si vous l'avez perdue, c'est sérieux comme problème. Mais faites-vous établir un duplicata, j'y pense !

- Un duplicata ! Un duplicata ! Mais oui, un duplicata, c'est simple, mais il fallait y penser. Mais est-ce la même chose exactement ?

- Bien sûr, enfin, un duplicata est un duplicata. En tout cas, il joue le même rôle, c'est essentiel. Oui, on retrouve exactement les mêmes choses. Le seul petit inconvénient, c'est que ce n'est pas l'original.

- Oui, oui, ce n'est pas l'original. Mais moi, il me faut l'original.

- C'est très difficile. Si vous avez perdu l'original, vous n'avez d'autre solution que le duplicata.

- Je ne sais pas, moi. N'y aurait-il pas une autre solution ?

- Non, je n'en vois pas d'autre.

- Je vous remercie beaucoup, mon père, de cette information capitale pour moi.

- Ça ne coûte rien. Mais j'y pense ; la toute dernière solution, c'est que vous changiez de nom, d'âge, de père, de mère, d'acte de naissance. En somme vous devenez une autre personne. Une sorte de renaissance, une résurrection comme le Christ. Mais là, vous aurez un autre problème avec la Loi et la Justice, peut-être plus grave, puisque c'est une falsification.

- Mon père, vous avez toujours le mot pour rire. Et si j'avais le cœur à la joie, au rire…, on aurait continué ce moment agréable de blagues et de farces. Encore une fois, je vous remercie, mon père. Je vais réfléchir à tout ce que vous m'avez dit. Sur cette histoire de duplicata et de falsification. En somme, une carte d'identité supplétive.

- Nanan, est-ce qu'à mon tour, je peux vous poser une question ?

- Bien sûr.

- Est-ce qu'au fond, vous croyez vraiment à toutes ces histoires de fétiches, de masques, de statuettes sacrées ?

- La question n'est pas là, mon père, la question n'est pas de croire ou de ne pas croire.

MAIS DE RESPECT OU DE MÉPRIS.

- Bien sûr, au revoir, Nanan. Bonne chance.

- Je vous souhaite la même chose, mon père.

ANAN DJORÈ
(Mardi sacré)

[manuscript annotations: école nouvelle — le symbole — langue – culture]

L'enfant, dans sa course folle, vint se jeter dans les bras de Mélédouman, au risque de le renverser.

- Mon fils, fais un peu attention quand tu cours.

- Nanan Yaki, Nanan Yaki, je ne vous ai pas vu.

- Tu as au moins tes yeux, toi. Et si tu dois les fermer quand tu marches, que feras-tu quand tu les auras perdus comme moi ?

- Nanan, il faut demander pardon au monsieur pour moi ; il veut me frapper, Nanan, je n'ai rien fait.

- Fils, tu m'as l'air d'un petit rusé, d'un petit malin, toi ! Tu as failli me renverser ; ton pardon n'est pas encore accordé, et c'est moi qui dois aller demander pardon au monsieur qui veut te frapper. Tu n'es pas bête, toi. Enfin, on corrige les enfants quand ils ont une mauvaise conduite. Dis la vérité. Qui veut te frapper alors que tu es innocent ? Es-tu sûr de n'avoir pas commis quelques innocents larcins par là ?

- Nanan, je n'ai rien fait, c'est notre maître qui veut me frapper. J'ai le symbole* aujourd'hui, on me reproche d'avoir parlé agni.

- Mais tu es un petit Agni !

- Oui, Nanan.

- Si tu es un petit Agni, l'agni est donc ta langue maternelle. Pourquoi n'as-tu pas le droit de la parler ?

---

* Collier de honte que l'on faisait porter aux enfants des écoles qui s'étaient rendus coupables d'avoir parlé dans leur langue maternelle. Ils ne pouvaient s'en défaire qu'aux dépens d'un camarade commettant la même faute.

En quoi est-ce un crime de parler sa propre langue ?
Symbole, symbole, symbole de quoi ?

- Je ne sais pas, Nanan.

- Ce n'est pas normal, ta situation, petit.

- Si, Nanan, c'est normal.

- Mais si c'est normal, pourquoi te plains-tu ?

- Non, Nanan, je ne me plains pas. C'est une loi, Nanan. Elle est pour tous les élèves. Aucun élève n'a le droit de parler agni à l'école, même dans la cour. Sinon il est battu, on lui tire les oreilles jusqu'au sang. Je ne veux pas être battu, je ne veux pas qu'on me tire les oreilles, ça fait trop mal. Hier, un élève a été tellement battu qu'il a perdu connaissance ; il a failli en mourir. L'an passé, un autre était mort. Non, Nanan, je ne veux plus leur symbole. Je ne veux plus être battu, ça fait trop mal.

- Oh, oui, ça fait mal. J'en sais quelque chose.

- Nanan, on t'a battu pour ça aussi, quand tu étais jeune, quand tu étais à l'école ?

- Non ! Non ! Mon enfant, pas pour ça. *De mon temps il n'y avait pas encore cette domination totale des Blancs sur nous. Nous étions libres de parler nos langues, de danser nos danses, d'adorer nos dieux sans qu'on nous frappe, sans qu'on nous tire les oreilles jusqu'au sang. Quiconque s'avisait de nous dicter sa loi le regrettait, quelque audacieux et fort qu'il fût, quelque puissant qu'il fût. Personne ne brûlait nos masques. Personne n'avait le droit de profaner nos lieux sacrés, de piller nos richesses, de violer nos femmes, de voler nos terres.*

Aujourd'hui, tout a bien changé. Nous n'avons plus rien, nous ne sommes plus rien. Va à l'école, mon enfant, va t'instruire. Ce qui restera de tes oreilles sanglantes, tu pourras un jour t'en servir pour écouter autre chose que ce qu'on te dit aujourd'hui, que ce grand mensonge, que savamment on est en train de t'inoculer. Va, laisse-toi allonger les oreilles, de toute façon elles n'atteindront pas le ciel.

Tu sais, de toute façon, on est toujours battu pour une raison ou pour une autre. Si ce n'est pour ton symbole qui t'interdit de parler ta langue, ce sera pour quelque autre raison plus ou moins valable. La question, toute la grande question, c'est cette raison pour laquelle on te bat. Si on te bat pour une noble cause, au lieu de la douleur que tu dois ressentir, tu ressens curieusement de la joie. Un bonheur tellement intime que tu as envie de le serrer contre ton cœur toute ta vie, tel un petit oiseau orphelin blessé, que tu as envie de protéger. Ce qui est insupportable et écœurant, c'est d'être battu, soit sans cause, soit pour une mauvaise cause. Là, c'est la tristesse, la nausée qui vous envahissent. Va, je te suis. Je viendrai bavarder avec ton maître que je connais bien.

C'est un garçon consciencieux. Trop consciencieux peut-être. Le vrai fonctionnaire.

L'enfant s'en alla, non sans hésitation. On était près de l'école. Les voix des élèves parvenaient à Mélédouman tantôt criardes, tantôt mélodieuses et douces.

L'école, l'école des Blancs. C'est l'une des rares choses bonnes qu'ils nous ont apportées. Mais hélas elle pourrit de jour en jour, elle pourrit tout. Parce qu'ici comme ailleurs, elle ignore la tradition, ce qui existait. Par mépris et par ignorance. Elle avait fait table rase de tout. L'école africaine était adaptée à la société africaine. Là où une simple adaptation eût suffi, tout fut rasé, comme font là-bas ces caterpillars, tout fut démoli. Il faut détruire pour mieux dominer, pour mieux exploiter, pour usurper, piller impunément la richesse des autres. Ces plaies béantes qu'on est en train de tailler dans les cerveaux de nos petits-enfants, quand guériront-elles ? Et après la guérison ? Qui pourra jamais sonder, prospecter la profondeur du mal ? Le mal d'autant plus incurable que ces malades ignorent le dangereux microbe qui vit encore sous la peau, une fois la plaie refermée. Tous ces enfants qu'on est en train de marquer au fer rouge comme du bétail, quand seront-ils des hommes réellement libres ? Quand tout ce fagot de complexes sera-t-il brûlé par le feu ardent de la liberté ?

Il y a des cicatrices qui saignent encore plus que les plaies elles-mêmes. Oui, l'école des Blancs aurait dû être bâtie sur la pierre africaine. Cette belle école, qui aurait dû apporter la lumière, apporte la nuit, car on veut utiliser la science, source sereine de vérité, de lumière, comme moyen de domination, ou en d'autres termes, répandre, étendre l'obscurantisme sur le monde. Et ça, c'est le comble. Il en va de même pour la technique…

Pendant que Mélédouman, guidé par Ebah Ya, allait à petits pas vers l'école, sa réflexion était, par instants, troublée par le bruit infernal du satanique caterpillar qui travaillait dans le quartier indigène, non loin de là. La diabolique machine était en train de tout détruire, de tout déséquilibrer. Cette belle harmonie de la nature et des hommes, cette belle harmonie va être enterrée sous les dents monstrueuses de la monstrueuse machine. Ce bel équilibre que la nature a mis des siècles patients à réaliser, combien de temps cette inhumaine machine mettra pour le saccager ? Un an, un mois, une semaine, un jour, une heure, une minute, une seconde peut-être ! Oui, une seconde ! Toutes les branches de cette belle étoile dispersée, tous les quartiers de cette lune saccagée, qui pourra jamais les reconstituer ?

Pourquoi est-il si facile de détruire ? Les hommes, la nature, mes yeux, la vie ? La vie, cette belle petite chose fragile…

Et toujours ce bruit infernal des caterpillars. Un bruit maintenant d'autant plus assourdissant que Mélédouman et Ebah Ya sont dans l'enceinte de l'école. Le maître du jeune « symbole » était devant sa classe, un long rotin impatient à la main.

- Bonjour, monsieur Adé.

- Bonjour, Dihié. Quel honneur vous nous faites aujourd'hui en venant nous rendre visite dans notre modeste école, aussitôt libéré !

- En vérité, c'est un petit problème... Je suis venu pour bavarder avec vous. Comme dit l'un de nos proverbes : « Une tête est une case ; deux têtes sont un village » ; c'est toujours de la discussion que jaillit la lumière, la science. Quelle est cette histoire de symbole ?

- Il est interdit de parler son dialecte à l'école.

- Sa langue maternelle, vous voulez dire ?

- Enfin, c'est une loi. Celui qui est surpris à parler son dialecte doit porter autour du cou un collier de coquilles ou de cauris. Et il ne peut s'en débarrasser qu'en le remettant à un autre qu'il surprend à parler patois. C'est la loi. Je ne fais que l'appliquer. Nous exécutons les ordres.

- Les qualités que j'apprécie le plus chez un homme, ce sont l'intelligence, l'honnêteté, la force d'âme et le courage. Je souhaiterais qu'avec courage vous me disiez franchement ce que vous pensez sur cette affaire de symbole.

- Dihié, entrons et asseyons-nous. Nous pourrons bavarder plus tranquillement puisque je vois que vous chancelez un peu. Donnez-moi votre miroir que je le porte sur ce banc.

- Monsieur Adé, je vous remercie de cette marque d'attention. Mais laissez, mon miroir n'est pas lourd, ça peut aller.

- Dihié, vous voulez savoir ma conviction intime sur cette histoire de symbole et ce qui justifie de ma part une certaine sévérité. Eh bien, je vais satisfaire votre curiosité. Pour moi, la langue française est une très belle langue...

- Mais toutes les langues sont belles pour ceux qui les parlent, pour tous ceux dont c'est le moyen de communication.

- Enfin... cette langue française est l'une des plus belles, l'une des plus mélodieuses du monde. Elle possède l'une des littératures les plus riches, les plus profondes, les plus achevées. Avec des génies universels, Corneille, Jean-Jacques Rousseau, Voltaire, La Fontaine. La langue française mérite notre vénération, notre respect, tous nos soins pour deux raisons principales.

La première, c'est que dans l'état actuel de notre histoire, de notre évolution, elle est une cause de succès, de considération sociale, un moyen de promotion. Personne ne cherche à végéter, aucun homme n'aime à être déconsidéré par sa propre société. Dans une société donnée, tout le monde poursuit des valeurs reconnues, à tort ou à raison, si celles-ci permettent d'accéder à ces trois choses : le respect humain, la considération et l'importance sociale. La langue française donne accès à ces trois choses. En tant que pédagogue, mon devoir envers les enfants qu'on me confie est de les amener, par tous les moyens, à une connaissance parfaite de cet instrument devenu indispensable. Voilà, Nanan, c'est du réalisme.

- Non, c'est de l'opportunisme.

- C'est du réalisme. Le jour où nous aurons une écriture qui nous permette d'écrire nos dialectes, peut-être.

- Nos langues, vous voulez dire.

- Dihié, ne faisons pas une querelle de mots.

- Non, ce n'est pas une vaine querelle de mots pour autant que les mots ont encore un sens, un sens précis et précieux. Il existe une différence fondamentale entre un dialecte et une langue. Et si l'on réduit nos langues nationales à de simples et pauvres dialectes, c'est que déjà un choix politique est opéré. Et ce choix politique a signé leur condamnation à mort.

- Mais, Dihié, nous n'avons pas de nation, comment pouvons-nous avoir des langues nationales ?...

- Mais si, nous avions des nations, des empires même, avant l'arrivée des Blancs. A vous entendre, on dirait que l'histoire de l'Afrique commence avec l'arrivée des Blancs et qu'avant eux le continent était désert ; que rien ne s'y passait comme événements sérieux et qui vaillent la peine d'être notés. De toute façon, ne pensez pas que les Blancs nous apporteront nos nations sur un plateau d'or : il faut les bâtir avec nos cerveaux, nos sangs et nos sueurs.

- Oui, Dihié, mais il faut reconnaître que la langue française est un facteur d'unité. Chaque ethnie, chaque tribu a son dialecte, enfin sa langue. Par exemple, moi je suis un Attié, j'enseigne en pays agni. Si ce n'est en français, en quelle autre langue voudriez-vous que j'enseigne ? Mon collègue de la classe voisine est un Guinéen. Tu vois donc, Nanan, dans ce petit cercle que nous formons, sans la langue française, il aurait fallu au moins deux interprètes : un interprète pour mon collègue et moi, sans parler des élèves, qui parleraient aussi bien le peul que l'agni ; et un autre entre l'Attié que je suis et l'Agni que vous êtes. D'autre part, quels beaux ensembles que l'A.O.F. et l'A.E.F. ! Le français permet, de Brazzaville à Abidjan, en passant par Dakar, à tous les frères africains de se comprendre, de communiquer ; tout ça est vraiment extraordinaire. C'est une chance historique que nous avons de nous rapprocher, de nous unir. Puisse l'Afrique saisir cette chance ! Ces deux grandes fédérations constituent, si les Africains ont l'intelligence de les conserver, une fois libérés du joug colonial, l'un des maillons précieux de la grande chaîne d'or africaine. La grande chaîne qui servira à forger de beaux colliers de la solidarité africaine, de beaux colliers autour du cou de l'Afrique unie. Comme vous le rappeliez, c'est une reconstitution involontaire des grands empires africains disparus. Il faut donc que les Africains fassent tout ce qu'ils peuvent pour conserver ces deux grandes fédérations. Il suffira d'y ajouter nos frères anglais, portugais, espagnols, pour achever ce grand rassemblement de nos peuples momentanément dispersés aux quatre vents.

Et puis, Dihié, pour nos dialectes, pardon, nos langues, il se pose le grand problème de leur capacité à transmettre les nouvelles sciences : la médecine, la biologie, les sciences physiques, la chimie, les mathématiques, sans parler de toutes les techniques modernes.

C'est pourquoi, Dihié, je me fais un devoir d'enseigner cette langue de toute la force de mon âme. C'est ce qui explique ma sévérité, mon intransigeance. C'est pour le bien futur de l'Afrique et de nos petits frères. C'est la langue de l'avenir. Bien sûr, elle n'est pas notre langue maternelle, naturelle ; c'est la langue de nos maîtres. C'est la raison de toutes nos difficultés. Mais puisqu'elle devient notre seconde langue maternelle, il faut la posséder, la parler correctement, la maîtriser, comme si elle était notre langue maternelle, nécessité oblige. J'ai donc le sentiment profond en l'enseignant d'accomplir mon double devoir de pédagogue et d'Africain.

- Je te remercie d'avoir abordé ce problème avec courage. Mais vois-tu, une langue est un organisme vivant, un être qui a un esprit et une âme comme nous. Et comme tout ce qui est vivant, elle naît, respire, se nourrit, grandit, se reproduit éventuellement, vieillit et meurt. Comme tout ce qui est vivant, elle est souple et s'adapte aux nouvelles conditions. D'abord, nos langues sont aussi belles que les autres. Elles ont fait leurs preuves en permettant la production de cette belle littérature, de cette profonde philosophie, que sont la littérature et la philosophie de la grande civilisation ashanti ; et plus loin de nous les civilisations du Manding, du Congo, du Bénin.

Aucune langue ne naît riche ; c'est l'usage qui l'enrichit.

La langue française pour laquelle vous éprouvez cette profonde admiration était elle-même méprisée il y a quelques siècles par les docteurs et les savants. Seul le latin était l'objet de toutes les considérations, de tous les respects, parce que tenu pour la seule langue capable de communiquer les nobles, les hautes pensées spéculatives.

Et un grand savant comme Descartes fera une vraie révolution en écrivant le premier ouvrage de philosophie en langue française. Avant lui, au siècle précédent, le groupe de la Pléiade avait relevé le défi du latin, réhabilité et finalement imposé la langue française encore regardée comme une langue pauvre, presque un dialecte, tout comme nos langues actuelles.

Il a fallu livrer bataille. Et ces fiers et géniaux pionniers ont d'abord été la risée des docteurs et des savants. Et ils avaient accepté cela. Tu vois, l'histoire de la France peut nous servir de leçon. Nous avons à livrer la même bataille, à défendre et à illustrer nos langues ; tant pis si nous essuyons les mêmes quolibets, les mêmes sourires ironiques et incrédules. L'enjeu est d'importance. Le jeu en vaut la chandelle.

Si nous enterrons nos langues, dans le même cercueil, nous enfouissons à jamais nos valeurs culturelles, toutes nos valeurs culturelles, d'autant plus profondément que, n'ayant pas d'écriture, la langue reste l'unique archive. La même pelle qui jettera la dernière pierre sur la tombe de nos langues, fera une croix sur nos valeurs. Et ce sera une perte inestimable.

Je ne dis pas de faire comme si les Blancs n'étaient pas venus. Je dis que si nous abandonnons tout, soit par faiblesse, soit par négligence, soit par étourderie, par distraction, personne ne pourra, venu le tribunal de l'histoire, évaluer la perte monumentale ainsi subie. Personne, venue la condamnation à mort, le jugement de nos petits-enfants, ne pourra plaider notre dossier : un flagrant délit.

Un simple instinct de conservation doit nous saisir : une question de vie ou de mort ; nous allons, si nous n'y prenons garde, au suicide. Qui reprochera à un malade d'être obsédé par les soins qui peuvent le sauver ?

Je sais, nous sommes entre le marteau et l'enclume, dans une position intenable. Écartelés. Mais on peut limiter les dégâts, sauver les meubles. Le feu est déjà dans la maison ; mais, si l'on a encore cette possibilité, il faut, sans attendre, appeler les pompiers. C'est une question de secondes.

- Dihié, je ne vois pas ce feu avec la même urgence que vous : je crois fermement qu'il faut avancer, toujours avancer : de nos jours, c'est l'unique voie de salut. Avancer, toujours avancer, sans jouer au bord de la route, sans repos, sans sommeil, avec les yeux bien ouverts, jamais les fermer. Avancer à toute vapeur, couper les cils, couper les sourcils, les paupières, couper tout ce qui gêne la vue et donne le sommeil ; si le besoin s'en faisait sentir, faire appel à ces caterpillars qui savent si bien démolir pour nettoyer l'horizon et rendre la place nette, propre et claire, avancer, avancer toujours l'œil aux aguets, le pied infatigable, fouetter à sang ceux qui dorment, battre à mort ceux qui flanchent, mais avancer ; de temps en temps, regarder en arrière pour voir le chemin parcouru, corriger la marche si elle est tortueuse, mais avancer, sur les routes coupantes, sur les routes caillouteuses, les pieds en sang, le corps en sueur, les larmes de sang aux yeux rougis par l'ardent désir de marcher, les farouches et féroces désirs de mettre les bouchées doubles, de raccourcir la route, mais d'avancer, toujours avancer, en tenant haut le tranchant coutelas sur lequel gicle l'énorme et féroce soleil, avancer, avancer, nos sœurs essuieront les sueurs, récolteront les sangs dans des vases sacrés pour en faire offrande aux ancêtres gardiens de la marche, vestales du feu sacré de nos yeux, de nos cœurs, de nos pieds, mais avancer, tout le peuple, enfants, femmes, hommes, vieillards, avancer. Ainsi marchent nos éléphants dans nos forêts vierges, quand la faim, la soif, et ce désir incendiaire les saisissent au ventre, aux tripes. Alors, tu vois, je veux pour le peuple d'Afrique une marche d'infatigables pachydermes.

- Adé, je vais peut-être t'étonner, mais je ne serai pas celui qui refusera de suivre cette marche irrésistible. Oui, je sais, de toute façon, il faut avancer maintenant, avancer, toujours avancer. Avec, comme vous dites, les ancêtres gardiens de la marche, vestales du feu sacré de nos yeux, de nos cœurs, de nos pieds. Alors, seulement alors, la marche de ces infatigables pachydermes sera triomphale et non funèbre.

Puis Mélédouman se leva, rajusta son pagne et son corps, plaça ferme son miroir sous l'aisselle, caressa les cheveux de la petite Ebah Ya qui serra la paume ardente de son grand-père.

- Adé, je vais demander la route.

- Déjà ? On a si peu l'occasion de discuter aussi franchement de nos problèmes. Revenez nous voir souvent, Dihié, ou je passerai chez vous.

- J'en serai heureux. Mais dites, Adé, avant de partir, pourrais-je vous poser une question, vous demander une chose qui devient mon unique tracas ?

- Quoi donc, Dihié, qu'est-ce qui peut vous tracasser tant ? Si je peux vous aider, ce sera avec plaisir.

- Il s'agit de ma carte d'identité. Je l'ai perdue. Vous ne l'auriez pas vu traîner par ici dans votre école ?

- Mais, Dihié, combien de fois êtes-vous venu dans cette école ?

- Vous savez, Adé, ma libération a été faite sous réserve de retrouver, dans la semaine, ma carte d'identité perdue. Je deviens de plus en plus inquiet au fur et à mesure que les jours passent et que ma recherche reste infructueuse.

- Dihié, qui ne vous connaît dans ce pays ?

- Ce n'est pas, hélas, ce que pense le commandant Kakatika ! Et comme, à l'occasion du baptême de votre école, j'étais venu ici, on ne sait jamais.

Tu sais, quand on perd une chose précieuse, on a le devoir de la chercher partout. Quelquefois, on retrouve les objets perdus dans des endroits tellement inattendus. Alors, je tâtonne partout aveuglément.

- Mais, Dihié, est-ce à cause de votre carte d'identité que l'on vous a arrêté ?

- Monsieur Adé, j'ai cessé de me poser ce genre de questions depuis un certain temps, dit Mélédouman, en prenant congé de l'instituteur.

Après un long parcours sinueux et lent, quelque peu fatiguée, Ebah Ya commençait à traîner la patte. Aussi Mélédouman rompit-il le silence, comme pour l'encourager :

- Ma fille, hâtons le pas, si nous voulons arriver chez nous avant la nuit. Quel bonheur de pouvoir enfin embrasser les siens après une si longue nuit, une si douloureuse absence !

- Mami ya... Quelle heure peut-il être ?

- Nanan, les ombres des palmiers sont très longues, ainsi que les nôtres.

- La nuit ne saurait tarder. Et avec ce tonnerre et le chant annonciateur de pluie des touracos, je crains que la pluie et la nuit ne nous surprennent quelque part, si nous n'y prenons garde. Ma petite Ya, si tel est le cas, personne ne donnera cher de notre peau. Dépêchons-nous. Il y a un moment que nous marchons depuis que nous avons quitté l'école. Es-tu sûre que nous sommes sur le bon chemin ? D'ailleurs où sommes-nous par rapport à notre maison ?

- Attends, Nanan... Attends, je vais voir...

- Hein, ma petite Ebah, qu'est-ce qui se passe ? Ça n'a pas l'air d'aller fort aujourd'hui. Est-ce la visite de ton école qui te bouleverse tant ?... Allons ! Essaie de te remettre...

Alors que Mélédouman parlait, il glissa sur quelque chose de mou. La puanteur dégagée rendit inutile toute interrogation sur la nature de la chose piétinée : Mélédouman pinça son nez, ferma la bouche, coupa sa respiration. Ebah Ya maugréa, furieuse, et s'essuya les pieds sur un amas de chiffons.

- Nanan, fais attention, il y a d'autres tas. Attention, il y a des cadavres d'animaux pourris...

Et les rafales de vent qui soulevaient tout ! Nausées ! Ordures ! Vieux chiffons ! Une véritable tempête à la fin. A proximité on entendait les gémissements d'un enfant pressé, appliqué à vider une fois pour toutes ses viscères, les grognements des porcs et les aboiements d'une horde de chiens affamés qui attendaient la fin, la cueillette du savoureux fruit convoité, pour prendre leur dernier repas tombant du ciel d'une façon inespérée.

Toujours ces rafales, cette tempête qui rabattaient par volées violentes comme des toucans les épaisses odeurs à votre nez.

- Tchoun... tchoun, expira Mélédouman. Mais, Ebah, où tu nous fais passer... Dans les ordures de toutes sortes. Mi Gnamien Pli... Quelle odeur... mais quelle odeur...

- Nanan, tu sais bien que c'est partout la même chose. Les gens font caca partout comme des chiens et des cochons. Mais on ne sait jamais. On retrouve parfois ici les objets perdus, jetés par mégarde dans les paniers à ordures. En fouillant peut-être qu'on peut trouver ta carte d'identité perdue.

A nouveau, ils furent happés par cette odeur ; de plus en plus suffocante, de plus en plus nauséabonde, irrespirable, asphyxiante, insoutenable, elle les enveloppa.

Des pieds, Ebah fit un tri de quelques paquets hétéroclites, des vieux chiffons, des vieux paniers, des vieux canaris cassés, des vieilles calebasses, des vieilles marmites, des vieux bibelots épars.

Maintenant derrière eux : la débandade : la guerre des Cacas ! Une bataille rangée de chiens et de porcs qui s'entre-déchiraient, groins et gueules en l'air. Sauve-qui-peut. Une cacophonie d'aboiements et de grognements. Un combat titanesque de chiens et de cochons ! Qui récoltera le beau fruit mûr tombé tout chaud de ce joli petit ventre innocent, pur, de ce bel enfant accroupi au bord de ce gouffre vertigineux d'odeurs putrides, les pieds sur une gerbe de fumier ? Un bel enfant sous la surveillance, point désintéressée, d'une nuée vrombissante de grosses mouches noires.

- Ebah Ya, vraiment aujourd'hui, où tu nous fais passer ? D'habitude, tu es mieux inspirée dans le choix de tes itinéraires... Ah ! ma pauvre Ya, nous ne sommes pas près de sortir de notre enfer... Tchoun... Tchoun... Tchoun...

Mélédouman cracha trois fois : de longs jets fulgurants et sanglants....

- Est-ce un endroit pour un aveugle ?

- Nanan, pardonne-moi, je n'ai pas fait exprès...

112

- Je sais, je sais, tes intentions sont pures... Mais enfin, quand serons-nous hors de cet endroit, de cette puanteur ? Quand finirons-nous de traverser ce tunnel empesté ? C'est un foufouesso : une vraie poubelle, un vrai pot de chambre, un vase de nuit, un vrai kouraba... Quelle odeur... Tchoun... Tchoun... Tchoun...

Non, vraiment, les gens exagèrent, de se soulager, de jeter leurs ordures n'importe où...

Et toujours la tempête avec ses mitraillettes cinglantes. Et cette pluie qui menace. Tonnerre, foudres et éclairs.

- Hâtons le pas ! Hâtons-nous... Tchoun... Tchoun...

Pour comble de malheur, sur ce chemin déjà marécageux, de récentes pluies ont passé la terre au mortier et au pilon, la transformant en une boue noire, collante. Une véritable glu dans laquelle on s'empêtrait comme de vulgaires oiseaux pris au piège. Mélédouman et Ebah Ya en avaient jusqu'à mi-cuisse. Une purée de caca et de boue noire. Ils étaient vraiment servis.

- Tchoun... Tchoun... Tchoun...

Boue. Sang. Épines. Ronces. Marécages. Et une tempête qui rugissait comme vingt lions affamés.

- Tchoun... Tchoun... Hâtons-nous, Ebah, hâtons le pas.

Mais comment hâter le pas ? Ils sont perdus dans cette boue, dans ces marécages. La pauvre Ebah Ya ne s'en sortait plus, n'en pouvait plus.

- Nanan, je ne retrouve plus le chemin. Avec cette nuit, cette pluie, et ces chemins pleins d'herbes coupantes...

- Ma petite Ebah, courage, courage. Comment pouvoir avancer en effet...

> Comment pouvoir avancer, comment vivre, la puanteur à fleur de peau, l'ordure à fleur de langue, la pourriture à fleur de l'âme ? Et mon

enfant entravée, qui geint la putréfaction, au milieu des immondices.

Comment vivre, comment avancer, comment respirer ? Et mon cœur, mon rêve, mon sang, qui suffoquent. Ebah, ma fille, comment pouvoir avancer, comment pouvoir vivre ? Cauchemars.

Longue est la route. Nombreux sont les obstacles. Mais ce soir nous aurons bien mérité notre bain. Un bain de feu. Corps et âme. Un bain embrasé. Le problème, c'est d'arriver à notre demeure. Comment pouvoir y arriver ? Comment avancer ? Ah, la pluie ! la pluie ! la pluie ! Vienne ma céleste pluie ! Vienne ma diluvienne pluie !

Je vais pouvoir laver toutes mes plaies souillées. Je suis un véritable arbre à caoutchouc. Je suis une ceinture de plaies et de cicatrices.

Et mon âme à vau-l'eau apprendra à bâtir sa demeure en arcades parmi les cascades de sang.

Allons-y pour un aqueduc viatique.

Sur ma chair meurtrie, mon visage creusé : fossés de misère, canaux de douleur. Mer de souffrance. Coule, pleure, pluie de mon enfance.

L'innocence n'est pas loin de nos cris.

Une larme pour une goutte de pluie, me prendrais-tu pour une fontaine tarie par la misère et la honte ?

Non ! Non ! Tu repasseras au siècle prochain pour nos noces avec les fleuves en crue.

Moi je veux l'écume après la pluie pour la virginité de mes rêves.

Je n'ai pas fait tout ce chemin pour les beaux yeux de la boue, et les marécages que charrie ton lit, fleuve.

Lave-moi plus immaculé que kaolin.

Oui, oui, c'est dit, la pluie attend tes blessures en aval.

Lave-toi à grande eau.

Le courant est fort et le piment aussi.

J'ai le charme facile.

Marie-toi à ton temps, mégère.

Tu connaîtras le prix de la passion. De la purification, et du baptême. Profite : les fleuves sont gonflés par le sperme du ciel qui enfante, nomme, baptise.

Mais le fleuve dit : lave-toi les pieds avant d'entrer dans mon lit · je n'aime pas la boue, et j'ai soif d'eau potable.

Sème tes poisons ailleurs. Quelle odeur ! Vends-moi les écailles de ta vie pour la métamorphose et les mues de ton temps de chien.

> Ombres noires errantes enveloppées de nuit
> Pourquoi errer ainsi par un temps pareil ?
> Dans la nuit aveugle
> Qui cherchez-vous aveuglément ?
> Que cherchez-vous ?
> Ombres torturées de nuit dans cette nuit
> Pourquoi ce cruel exil de toi-même ?
> Quels lourds fardeaux pèsent ainsi sur ton cœur ?
> Pourquoi erres-tu ainsi dans la mort quand tout
> appelle le sommeil, le repos, la paix, l'amour ?

Devins.

Auriez-vous le secret qui torture ainsi l'âme de l'homme devenu l'ombre de lui-même ?

Exil, cruel exil,

Royaume, cruel royaume.

Terre, cruelle terre.

Vie, cruelle vie.

Cruelle crue torrentielle.

MÉLÉDOUMAN VEUT ÊTRE MÉLÉDOUMAN

Est-ce vouloir dépasser ses propres forces que de vouloir être ce que l'on est ?

Racine, Mélédouman veut être sa propre racine.
Sève, Mélédouman veut être sa propre sève.
Arbre, Mélédouman veut être son propre arbre.

Qui donc l'aidera, le consolera ?
Mélédouman veut être Mélédouman. Revenir de l'exil de lui-même.
Rejoindre sa demeure. Quitter les marécages et les ordures.
Pauvre Mélédouman, pauvre Ebah Ya, perdus dans la nuit, dans les marécages, dans la tempête, la boue et le caca.

ANAN MANLAN
(Mercredi sacré)

C'est vraiment curieux. Voici quatre jours, quatre nuits, quatre lunes que Mélédouman, conduit par sa petite-fille Ebah Ya, est à la recherche de sa carte d'identité. Ils mangent et dorment on ne sait où ni comment. La maison reste introuvable. Dès sa sortie de prison, Mélédouman s'était fixé comme premier but de s'y rendre, mais il a l'impression d'être dans un monde fantastique : plus il marche vers sa maison, guidé par la petite Ebah Ya, et plus elle semble s'éloigner. Une maison qui marche et qui fuit à l'horizon comme l'horizon. Sa maison a pris la forme de l'horizon. Maintenant qu'il y pense, un certain nombre de détails, de faits initialement anodins, insignifiants, prennent un sens troublant, une importance capitale. Ainsi il n'avait pas retrouvé la maison du notable Abadjinan tout à fait à sa place habituelle. Et l'école régionale, il l'avait rencontrée au quartier indigène, alors qu'elle était normalement située au quartier Blofouèkro, c'est-à-dire au quartier des Blofouè, des Blancs. Qu'est-ce que tout cela veut bien dire ? Maintenant, dans cette logique, sa propre maison doit se promener Dieu sait où : comment savoir ? Décidément Mélédouman n'est pas au bout de ses peines. Si, en plus de sa carte d'identité, il faut qu'il cherche sa maison, vraiment ce n'est plus possible. Son premier mouvement fut de confier son inquiétude à la petite Ebah Ya, mais il s'en abstint, réflexion faite, de peur de la décourager, de la troubler, quand celle-ci lui dit :

- Nanan, je ne comprends rien, voici chez toi, j'en suis certaine, mais ta maison n'est plus là.

- Comment, ma maison n'est plus là ? Tu te trompes peut-être de lieu, de place. Dans la ville, plusieurs endroits sont semblables, se ressemblent à s'y méprendre. Moi-même, il m'est arrivé, plus d'une fois, d'aller chez quelqu'un en croyant me rendre chez moi. Regarde bien, observe, scrute l'endroit...

- Nanan, je suis sûre de ne pas me tromper. Je connais bien chez toi. Je suis souvent venue jouer sous ces manguiers et ces orangers qui sont bien là ; sauf la maison.

- Et celle des voisins ?

- La maison du vieux Brou ? Je vois bien son toit, mais pas les murs ! Par contre, celle du vieux Anoh, elle a bien ses murs, mais pas son toit, et les murs ne touchent pas la terre : ils sont suspendus comme un morceau de ciel.

- Mais c'est une vision fantastique que tu me montres là. Observe bien les choses, ouvre bien tes yeux.

- Nanan, justement ils sont trop ouverts, grands ouverts, ouverts par la peur.

- Allons, allons, ma petite-fille, allons contrôler, vérifier tout ça. Approchons.

Ils approchèrent. Mélédouman, qui commençait à s'habituer à ce monde fantastique (on s'habitue à tout, n'est-ce pas ?), ne fut guère étonné de pouvoir traverser la maison en touchant le toit suspendu, semblable à un pont de lianes sur un fleuve, ce qui confirme bien la vision extraordinaire de la petite Ebah Ya. Tout commence alors, pour Mélédouman, à s'enchaîner avec une rigueur mathématique, une effroyable logique, une logique dont il lui était impossible de deviner l'issue :

ainsi le blocage du moteur du commandant Kakatika, cette pluie inopportune, brutale, cette danse de purification des femmes surgies des entrailles du ciel, des cuisses de la terre, ce démarrage de la jeep et son téléguidage.

En ce temps-là, les esprits superstitieux avaient justifié tous ces faits surnaturels par son djibô, les mânes des ancêtres, les génies de l'île sacrée. Maintenant, ces maisons qui se promènent tranquillement, paisiblement, des maisons aux toits suspendus en l'air, sans murs, sans fondations ou sans toit...

Étrange, vraiment étrange. Il est vraiment décidé qu'il ira de surprise en surprise.

A peine est-il un peu revenu de l'effet produit par cet univers fantastique, que de la maison sans toit viennent des éclats de rire ininterrompus, semblables à ceux du fou violeur. Mélédouman voulut s'approcher pour mieux écouter ce que ces gens pouvaient bien raconter, s'approcher pour avoir quelques explications de ces faits fabuleux. Mais plus ils approchent, plus les voix diminuent, baissent jusqu'à devenir inaudibles, et plus ils reculent, plus ils les entendent distinctement au point de devenir assourdissantes, insupportables. Mon Dieu ! Quel est ce monde absurde dans lequel vient de tomber Mélédouman ?

Vint alors à passer une fillette aux cheveux blancs qui portait sur son dos un vieillard vigoureux dormant d'un sommeil d'enfant sage, les poings fermés, toujours selon les explications d'Ebah Ya. Maintenant il n'y a plus de raison de mettre en doute sa parole, puisque toutes les vérifications effectuées lui ont donné entièrement raison, ont confirmé ses visions. Mélédouman se fie désormais entièrement à sa parole. Il fait appeler cette étrange fillette et lui demande :

- Me connais-tu ?

- Bien sûr, Nanan Mélédouman, quelle question ? Tu es l'ours blanc de Bettié. Qui ne te connaît pas n'est pas encore né.

- Puisque tu me connais si bien, je suppose que tu sais où j'habite.

- Bien sûr, Nanan, tu es notre voisin.

- Alors, où est ma maison ? Si tu veux, où est ta maison ?

- Mais là, Nanan.

- Là, là, ce n'est pas précis.

- C'est curieux ! Nanan, tu ne sais plus où tu habites ? Eh bien, avance un peu, puis tourne à droite : devant toi, sous les manguiers, les palmiers, les orangers et le grand fromager. Je suis pressée, je m'en vais. Je suis envoyée par mon mari. J'ai mis son foutou sur le feu, je n'ai pas confiance en mes enfants. Qu'est-ce que tu veux ? Les enfants d'aujourd'hui ne veulent rien faire. Je vais de ce pas demander un peu de sel et de piment à mes voisins. J'en manque pour le repas de ce soir...

- Mais enfin, où habites-tu ? Je ne comprends rien à ton histoire.

- A côté de toi, Nanan, je te l'ai déjà dit, ne cherche pas à comprendre. Je suis pressée ; au revoir, Nanan, à tout à l'heure.

Et elle disparaît dans l'allée d'arbres qui mène à la cour royale. Mais Ebah Ya et Mélédouman ont à peine fait un pas qu'ils rencontrent une veuve éplorée, assise sur un vieux mortier au bord de l'allée d'arbres.

Bras croisés sur la poitrine, cheveux hirsutes, le visage barbouillé de piment rouge écrasé, de charbon pilé, de kaolin, la veuve avait un air effrayant. Autour du cou, un collier de bananes ; à la taille, des perles faites de racines diverses, des chaînes d'os et de cauris. Sous ses bras se croisent plusieurs longs colliers multicolores. A ses pieds, une clochette, sorte de tocsin que le moindre mouvement fait sonner. Pour tout vêtement, autour des reins, un petit pagne blanc, d'une blancheur immaculée.

- Paix à toi, douloureuse femme.
- Paix à toi, homme douloureux.
- Que fais-tu au bord de ce chemin par ce crépuscule ?
- Homme noble de cœur, j'ai tout perdu : ma maison, mes enfants, mon père, ma mère, et, douleur entre les douleurs, mon mari. A mon âge, me voici devenue une orpheline sans toit. J'attends au bord de la route que Dieu qui m'a tout pris vienne me prendre à mon tour.
- Femme de souffrance, que Dieu t'apporte secours et repos de l'âme ! Mais de quelle famille es-tu, noble veuve ?
- Je suis la veuve de Mélédouman.
- Veuve de qui ?
- De Mélédouman, le prince.
- Mais ce n'est pas possible, qu'est-ce que tu racontes-là ?
- Noble inconnu, je ne vois pas pourquoi tu poses cette question ? Je dis la pure vérité. J'étais la femme de Mélédouman, et puisqu'il est mort, je suis sa veuve, c'est logique.
- C'est logique, bien sûr, c'est logique. Il faut croire que chacun a sa logique. Mélédouman n'étant pas mort, il ne peut y avoir de veuve de Mélédouman : Mélédouman, c'est moi.
- Pas possible, ce n'est pas possible, je ne te crois pas. Je suis veuve, mais pas folle, pas folle encore. Mélédouman est mort et bien mort. Si tu ne le crois pas, va au cimetière où tu trouveras sa tombe.
- Mais enfin, j'étais en prison. Il y a quatre jours, j'ai été libéré. Si j'étais mort, je l'aurais su, tout de même.

121

ne veu reccavait pas. famille

- Si, si, tu es mort, tu es mort. La preuve, c'est que je suis veuve, ta veuve.

- Mais c'est une histoire de fous. Ainsi donc, tu ne me reconnais plus, si tu es ma femme? Regarde-moi bien. Si, moi, je ne peux pas te voir, toi, tu peux me voir.

- Non, non, tu es revenu, tu es revenu... Peut-être que tu es un revenant, un revenant qui vient troubler ma petite paix, remuer le couteau dans ma plaie encore saignante. Mon Dieu! un revenant, au secours, au secours!

- Calme-toi. Ce qui m'étonne, c'est que dans le village, tu es bien la seule qui sait et soutient que je suis mort. Personne n'est au courant de cette folle histoire. Mais, enfin, depuis quand je suis mort?

- Je ne sais pas, moi. Ta mort remonte à... Oh, il y a longtemps. On a fait les funérailles, légué ton héritage à ton neveu Mikrodouman. Tu vois bien que c'est terminé et bien terminé. Tout est terminé, tout est clair.

- Tout est clair pour toi peut-être. Je suis mort il y a longtemps, tout est consommé, et c'est maintenant que tu portes mon deuil; c'est gai.

- Ce n'est pas gai, justement. Au secours, au secours, un revenant, le revenant de mon mari! Mikrodouman, au secours, ton oncle est revenu!

La veuve disparue, Mélédouman et Ebah Ya continuèrent leur chemin. Mélédouman buta contre une grosse racine et faillit tomber de tout son long.

- Sur quoi ai-je trébuché?

- Sur une grande racine, qui s'enracine dans le pied d'un fromager.

- Blottissons-nous dans ce contrefort pour un court repos. Las, je suis las. Quel est ce monde dans lequel je suis tombé? Un monde de cauchemar. Un monde fou de fous. Un monde où toutes les lois sont renversées, où

tout est possible à chaque seconde. L'état zéro de la raison, de la vie. Un monde sans repères. On ne peut plus
se repérer ni dans l'espace ni dans le temps.

- De sa longue vie, Mélédouman en a vu de dures.
Mais ici, toutes les bornes sont dépassées, tous les records
battus. On vient m'annoncer, tranquillement, paisiblement, ma mort. Et qui annonce imperturbablement
cette nouvelle ? Ma femme.

Mélédouman en était-là de sa réflexion quand, alertée
par les cris de la veuve, une volière d'enfants vint
l'entourer en criant.

- Oyé ! Oyé ! Voici un revenant, venez voir un revenant !

Et tout le quartier de suivre ces sataniques gosses en
frappant un tam-tam comme le font souvent les enfants
qui poursuivent un voleur.

- Oyé ! Oyé ! Mélédouman, tu es mort, que fais-tu
dans le monde des vivants ?

Le plus acharné de tous était bien entendu son propre
neveu, son héritier, Mikrodouman (*« j'ai un nom »*).

ANAN OUHOUÈ
(Jeudi sacré)

Au point où en est Mélédouman, rien ne peut plus l'étonner. Il décide donc de se rendre au cimetière. En prenant cette résolution, quel sentiment en lui fut déterminant ? Il ne le sait. Simple sentiment de curiosité ou sentiment inconscient beaucoup plus puissant, plus profond : doute sur sa propre existence. A partir de ce premier doute, Mélédouman en vient à douter de tout, de tous ceux qu'il rencontre. Du tapage fait par son quartier sur sa mort. Tout est-il comme lui ? Les autres sont-ils comme lui ? Les autres vivent-ils dans son monde qu'il pense réel et vivant, ou vivent-ils dans un autre monde qu'il ne sait plus baptiser, nommer ? Comment réussir à nommer ? Nommer, c'est déjà connaître, repérer ce monde, les choses, les hommes, dans ce fatras nocturne de la vie, faire surgir donc l'être du néant : l'appeler à ce monde lourd, rugueux, palpable.

Ce monde solide aux aspérités de roc, de roc épineux comme ce fromager sous lequel Mélédouman est assis. Baptiser, nommer, est un acte grave de la vie. C'est l'acte de création de ce monde dur, intense, actuel, présent. Cette présence chaude, veloutée, grouillante : belle termitière au soleil où tout est ordonné, reine, ouvrières, soldats, où tout est donné, où tout frémit, où tout est irrigué de sang, drainé de veines, orné d'un cœur, un beau petit cœur bruyant, de poumons, de pouls, de pulsations, de jolies petites pulsations âcres qui démangent : la vie. Mais les autres, ces autres ? Et lui ? Qui est réel ? Qui ne l'est pas ? Eux aussi, ils ont l'air d'être à l'aise, libres, heureux dans leur monde, d'être vivants comme lui ; ils vont, ils viennent, travaillent, préparent leur repas du soir, se marient, ont des enfants. A quelques détails près, cet autre monde obéit à la même logique. Alors, comment trancher, quel est le critère qui va permettre de décider de l'existence ou de la non-existence de l'un des deux mondes, comme ça, *a priori* ?

Mais enfin, malgré le bouleversement du monde, de ce monde, malgré le manque de repères, lui-même ne reste-t-il pas le repère suprême à partir duquel tout doit s'organiser ? Tout doit s'organiser suivant un nouvel ordre : temps et espace, un nouvel ordre bien à lui. Il touche, touche sa tête, ses cheveux, son front, son nez, ses yeux, sa bouche, ses pieds. Il se palpe. Il se contrôle. Il se vérifie comme un mécanicien le fait d'une voiture avant et après une grave réparation et donne la conclusion pathétique : enfin, c'est bien moi, moi, Mélédouman, aucun doute.

Ah ! Le miroir, le brave miroir, son fidèle miroir. Ebah Ya, dis-moi ce que tu vois dans le miroir. Quel acte plus touchant, plus tragique que cet homme aveugle qui se regarde dans son miroir ?

- Nanan, je te vois dans le miroir.

- Continue, ma fille, décris-moi fidèlement tout ce que tu vois.

Un peu surprise, la petite Ebah Ya commence alors la description de son grand-père.

- Nanan, je vois ta tignasse, ta belle tignasse, ton large front, tes yeux qui ont gardé leur beauté, tes dents blanches bien rangées.

Mélédouman sourit, rit, puis éclate franchement de rire, un rire fou. Et comme se parlant à lui-même. Que je suis bête, bête ; que je suis fou, fou à lier. Merci,

miroir = futur

miroir, merci de me rassurer. Je vois bien que j'ai eu raison de te traîner avec moi. Merci, tendre miroir, tu es très utile, miroir. Tu es mon dieu aujourd'hui. Par ton pouvoir, je suis recréé, par ton miracle, je suis ressuscité. Que dis-je, je suis créé. Je suis vu dans le miroir, on me voit dans le miroir. Je me mire, donc j'existe. Bien sûr, j'existe. J'ai perdu ma carte d'identité, mais pas la tête, pas la raison. Pour qu'il y ait reflet, il faut que l'objet reflété existe. Les revenants se mirent-ils ? La tradition qui croit aux revenants soutient en même temps que l'un des caractères essentiels de ces revenants, c'est qu'on ne peut pas les photographier, ni les voir dans un miroir, puisqu'ils n'ont pas d'image.

Sans doute, parce qu'en passant dans l'au-delà ils passent du même coup derrière le miroir. Moi, j'ai une image dans le miroir, donc j'existe.

Mais ce dernier raisonnement ébranle la fragile cabane qu'il vient d'édifier pour abriter sa fragile existence. Oui, cette épreuve, cette preuve du miroir, est-elle une preuve irréfutable de son existence ? La croyance populaire qui accorde une existence aux revenants affirme que l'homme a un double derrière lui, à l'image de son ombre, appelé Wawiè. C'est cette ombre, ce Wawiè, que les appareils photographient, que l'homme voit à travers son miroir. Faut-il fonder un raisonnement sur une croyance aussi naïve ? Oui, le fait de se toucher, comme le fait d'apparaître dans un miroir, constitue-t-il une preuve irréfutable de son existence, une preuve irréfutable de ce monde réel dans ce monde réel ? Je me touche, donc j'existe. Je me mire, j'apparais dans un miroir, on voit mon image dans un miroir, donc j'existe. Mélédouman sourit, mais cette fois ce n'est pas le sourire de la certitude ; plutôt celui du scepticisme. Tout est à nouveau remis en question. N'existe-t-il pas d'autres preuves de son existence dans ce monde ? Mais enfin, comment peut-on concevoir sa propre mort, comment peut-on nier son existence ? Ce n'est pas possible. S'il était mort, serait-il là pour raisonner, pour s'interroger sur cette existence, sur cette mort ? C'est absurde.

Les autres, ces autres qui lui jettent sa mort à la gueule comme de brûlantes pierres, comme des cailloux pestiférés ; les autres, qui se jettent sur lui comme un chien enragé avec des crocs féroces pour le mordre, pour le dévorer. S'il était mort, auraient-ils pu se comporter de la sorte : bien en face, en le regardant dans les yeux, lui dire, lui affirmer : tu es mort, tu es mort, va au pays des morts, que fais-tu au pays des vivants ? Qu'ils sont bêtes, eux aussi, vraiment bêtes ! Comment ne voient-ils pas la contradiction insupportable de leur comportement ? Et cette veuve, cette prétendue veuve : tu es mort puisque je suis veuve, drôle de preuve de sa mort, drôle de raisonnement. Alors, que faire, si ni lui, ni les autres, ne peuvent donner les preuves de son existence ou de la non-existence des événements étranges qui sont survenus ? Doit-il rester là, suspendu dans l'air comme ces murs de maisons sans fondations ni toit, dans cette position intenable ? Non, ce n'est pas possible. Ah ! ça y est. Qu'il est bête, idiot même ! Pourquoi n'y a-t-il pas pensé plus tôt ? Mais oui, Ebah Ya, c'est la dernière chance, la preuve irréfutable.

La petite Ya est bien à côté de Mélédouman, paisible, rassurante, tranquille.

- Ebah, Nanan Ebah, tu es là ?

- Oui, Nanan, puisque je te tiens la main. Je ne t'ai jamais quitté. Nanan, j'ai toujours été à tes côtés, je ne te quitterai jamais. Je t'aime tant, Nanan.

- Bien sûr, tu es gentille, ma fille. Moi aussi, je t'aime, tu sais. Tu ne m'as jamais quitté, tu as toujours été à mes côtés. Mais moi aussi je ne t'ai jamais quittée, nous sommes inséparables. Tu es la plus précieuse partie de mon corps : mes yeux. Mieux, tu es ma déesse. J'ai mis ta mère au monde et toi tu me mets au monde aujourd'hui ; je suis ton fils, tu m'as arraché au monde des morts. Plus que le miroir, c'est toi qui m'as ressuscité, qui m'as créé. C'est toi qui as mis fin à mon calvaire, à ma torture. Nanan Ebah, je te remercie, tu portes bien le nom de ma grand-mère, tu es ma nanan aussi, comme je suis ta nanan.

La petite Ebah, revenue de sa surprise, de tout ce que son grand-père vient de dire, malgré le respect, la vénération même qu'elle a pour lui, toujours inspirée, demande :

- Nanan, je te remercie, mais pourquoi me dis-tu tout cela ? Quelque chose ne va pas ?

- Tout va très bien, au contraire, très bien même. Mieux que je ne croyais, tout va bien au-delà de tout espoir.

Oui, la petite Ebah est la preuve suprême, car si c'est moi qui suis mort, et elle ? Nous ne pouvons pas être morts tous les deux au même moment sans nous en apercevoir. Ce n'est pas possible, c'est absurde même. Or nous ne nous sommes jamais quittés, donc je ne suis pas mort. Ebah Ya est bien le repère à partir duquel tout doit s'organiser, se ramener à la vie, à la vraie vie, pleine, totale, entière, à la vie de liberté, à la nouvelle vie libérée de toutes les peurs, de toutes les craintes, de tous les doutes, de toutes les maladies, de la mort.

Oui, Ebah Ya est la preuve de ma vie et cela rentre dans l'ordre normal des choses. Les autres, c'est le paradis. Ce sont les autres qui sont la preuve de notre existence.

Reprenons les choses au commencement. Ma vie, ma petite vie, cette petite chose tout à la fois fragile et solide, dépend des autres. C'est bien ce que la carte d'identité spécifie : fils de... et de...

Tout homme a un père et une mère, lesquels ont un père et une mère, ainsi de suite, jusqu'à l'origine du temps, l'origine de la vie. Ce sont eux qui nous donnent un nom, un prénom et qui justifient notre existence, notre vie.

Quand nous sommes malades, ce sont les autres qui nous assistent, nous soignent, nous consolent, nous nourrissent éventuellement, nous portent, nous soutiennent. A notre mort, ce sont les autres qui l'annoncent, en souffrent, pleurent. Ce sont eux encore qui font notre dernière toilette, nous habillent, surveillent notre corps, cherchent un cercueil pour nous enterrer. Ainsi donc les deux actes essentiels de ma vie m'échappent. Les autres détiennent tout à la fois les preuves de mon existence et de ma mort. Après moi, après ma mort, ce sont eux qui diront encore : il a vécu de telle ou telle façon, comme après d'autres je dirai la même chose.

- Nanan, voici le cimetière.

Mélédouman, au fort de sa réflexion, tressaille. Maintenant qu'il est arrivé dans ce cimetière, il réalise toute l'absurdité de sa conduite. Qu'est-ce qu'il est venu faire ici, au juste ? Est-il venu ici pour interroger le cimetière, les tombes, les oiseaux, les croix, les os, les arbres, les herbes, le sable ? Qui parle ici ? Qui, ici, a un langage, émet quelques signes lisibles, quelques signes déchiffrables ? Comment interroger un cimetière ? Comment demander tranquillement à un cimetière :

- Dis, cimetière, dis-moi : est-ce que je suis vivant ou mort ?

Et celui-ci de répondre, par exemple :

- Drôle de question, si tu étais mort, si tu étais là parmi mes habitants, parmi mes locataires, tu l'aurais su, tu aurais été le premier informé, tout de même.

Maintenant veux-tu un lot ? Je n'ai pas de problèmes

de logement, moi ; de toute façon, tu auras ton rectangle qui t'est réservé de toute éternité.

Ou bien cette autre question. La question habituelle de Mélédouman :

- Cimetière, morts, auriez-vous vu ma carte d'identité perdue ?

Étrange dialogue, n'est-ce pas ? Comment peut-on dialoguer avec un cimetière et ses morts ?

Ô cimetière, ô morts, ô nos morts, ô notre cimetière, cimetière du silence, morts du silence, ô silence du silence, ô parole du silence, ô signe des morts, signe de l'énigme, ô parole du silence, parole des morts, parole des os, parole des sables, parole de pierre, parole de marbre, qui suis-je ? Quel est mon nom ? Répondez-moi, par pitié. Qui suis-je ? Un mort ? Un vivant ? Quelle est mon identité ? Mystérieux cimetière, énigmatique cimetière, insondable cimetière de mes aïeux, indéchiffrable cimetière de ma vie, de mon histoire, cimetière calice, toi qui contiens les précieux ossements, les ossements sacrés de ma race. Cimetière de la vérité absolue, et vous, fiers cannas rouges, que dites-vous ? Fières herbes héritières qui poussez sur les cimetières, ô vous, fleurs de l'au-delà, vous qui enfoncez vos racines terrifiantes jusqu'à la profondeur de la vie et de la mort, jusqu'au fin fond de la terre, pour vous lancer ensuite, victorieuses, à l'assaut du ciel, jusqu'au sommet de la vie, à la conquête des couleurs merveilleuses, peintes au flanc du temps, quel message l'au-delà m'envoie-t-il ? Avez-vous le secret de ma carte d'identité perdue, vous qui venez du sein de la terre, du sein volcanique de la terre, de la vie et de la mort ? Quel message lumineux la nuit envoie-t-elle au soleil, à la lumière ? Je me prosterne à vos pieds, pierres des cimetières, tombes des cimetières, oiseaux des cimetières, des cimetières douloureux, des cimetières de mon père, de ma mère, de mon grand-père, de ma grand-mère, cimetière de mes aïeux, cimetière de ma race, ma fière et digne race noire bafouée, humiliée, qu'on veut enterrer avant sa mort.

Avez-vous entraîné avec vous, dans le silence de vos tombes, mon passé, quel est son nom, quel nom lui avez-vous donné à sa naissance ? Je ne sais plus dans quel monde je vis. Tout chavire autour de moi, tout va à la dérive. J'ai tout perdu, ma famille, mes enfants, mes yeux. Ma femme, une folle qui se croit veuve et qui vient m'annoncer ma mort. Ô morts, vous n'êtes pas morts, n'est-ce pas ? Quelle est l'épaisseur de la paroi qui nous sépare ? N'est-ce pas vous qui dans ce vent m'adressez cet étrange message que je n'arrive plus à déchiffrer, à décrypter ? J'ai perdu la mémoire de notre code, cimetière bavard.

Je suis analphabète. Je n'arrive plus à interpréter les signes qu'ensemble nous avons émis, la convention qui nous liait, nous permettait de communiquer : tant et tant de terre s'y est entassée, tant de pierres s'y sont accumulées, tant d'herbes y ont pris racine naturellement. Et toi, fier margouillat, comment veux-tu que je comprenne le même langage rouge de ta tête couleur de sang ? Tu répètes toujours la même chose, tu dis oui, avec ta tête, margouillat sacré des tombes sacrées, tu n'arrêtes pas de baisser et de lever ta tête, de baisser et de lever ton front, à l'exemple de tout peuple, peuple de gloire et d'humilité. Si l'on abaisse ton front, lève-le, fier. S'il est hautain, baisse-le par humilité.

Margouillat musulman au calot rouge, quelle étrange prière adresses-tu aux morts ? Quelle héroïque leçon donnes-tu aux vivants avec cette patience tranquille ?

La patience n'est-elle pas la mère de toute pédagogie ? Oui, je sais, je sais. Mais moi je suis un mauvais élève.

Mélédouman fit une longue promenade, visita de

fond en comble ce lieu sacré où gît le corps sacré de sa race. Il allait, marchant silencieusement.

De temps en temps, Ebah Ya, qui avait fait un séjour à l'école régionale de Bettié, essayait de déchiffrer pour lui quelques noms écrits sur les pierres tombales. Tout d'ailleurs commence à s'effacer. Il faut souvent deviner les noms, reconstituer un véritable puzzle.

A la fin de cette étrange visite, Mélédouman fut rassuré. Il n'avait pas découvert sa propre tombe ; sa carte d'identité non plus, il est vrai, ce qui est moins rassurant. Il fallait continuer la recherche. Chemin faisant, Mélédouman se rappela que le lendemain était Anan Ya, c'est-à-dire le Vendredi sacré. En fait, le Vendredi sacré est au calendrier sacré Akan ce que le dimanche est au calendrier chrétien, grand jour d'adoration des dieux. C'est le jour faste pour obtenir des dieux toutes les faveurs.

Tous les autres jours de la semaine sacrée concourent, en fait, à honorer le vendredi sacré, l'Anan Ya. C'est l'apothéose du système calendaire sacré. C'est le jour glorieux pour adorer les chaises royales, les génies, les mânes des ancêtres.

C'est aussi le jour de célébration de la fête de l'igname, de l'abondance mythique, de la fécondité, de la fertilité de la race. Journée de reconnaissance et de gratitude à la terre pour sa générosité et sa prodigalité, pour avoir donné aux hommes assez de fruits pour nourrir leurs enfants, avoir mis dans les mamelles assez de sève pour allaiter leurs fils.

Journée de réjouissance aussi, journée où tous les féticheurs sortent tous les fétiches des lieux de culte, pour la grande bénédiction de la terre, du ciel et des hommes. C'est le grand jour de l'initiation, le grand jour sacré des jours sacrés. Mélédouman s'en souvient avec soulagement. A quel succès dans la recherche de sa carte d'identité ce jour va-t-il contribuer ? Il n'en sait rien, mais cette perspective l'excite, l'enfièvre assez pour qu'il s'en réjouisse d'avance. Tous les ans, à ce grand jour de l'adoration des chaises, Mélédouman, en tant que prince, en tant que noble, a le devoir de participer.

Du cimetière à la maison sacrée du trône, il doit forcément passer par les ruines de l'ancien village appelé Krodasso.

Au temps glorieux des Rois de Bettié, cette ville était la capitale culturelle et économique du royaume. Elle était construite sur la colline jumelle de celle actuellement occupée par l'administration coloniale. C'est le premier commandant de cercle qui, par souci stratégique, avait obligé les indigènes à quitter cette colline sœur. Il jugeait dangereux pour sa sécurité que les indigènes habitent sur cette colline, à sa hauteur, face à face avec lui. Et il avait fait déloger les Noirs *manu militari*, les obligeant à abandonner leurs plantations, leurs cimetières, leurs lieux sacrés, leur passé pour construire ce nouveau village enterré dans les marécages, dans ce bas-fond fangeux, insalubre, nauséabond, plus propre à la culture du riz, à l'élevage des moustiques qu'à l'habitation des hommes.

Après une brève escale à l'ombre des bananiers, Mélédouman arriva enfin à Krodasso.

Bettié est l'un des quatre grands royaumes du célèbre, fier et brillant peuple agni, lui-même partie intégrante du grand et héroïque groupe akan, lequel est le rameau éburnéen de la riche civilisation ashanti, du grand empire du Ghana qui comprenait le royaume de l'Indénié, le royaume de Sanwi, celui de Moronou et celui de Bettié. Krodasso est une cité au passé taillé dans le diamant et dans l'or. Aujourd'hui, Mélédouman a le cœur qui gémit, à se promener ainsi dans les ruines, à travers les vestiges grandioses, tant lui parle à chaque pas la splendeur ancienne, tant murmure à ses oreilles un présent obsédé par la gloire passée. Quelquefois on espère un miracle enfantin : la victoire de la vie sur la mort et sur le temps, ou seulement une résurrection, à l'image de Pompéi, de cette splendeur enfouie sous les décombres, les fougères, le chiendent, les ronces. Et les pierres qui l'enlacent au passage avec leur haleine tiède, leur respiration envoûtante, profèrent de bien graves énigmes. Qui jamais pénétrera leurs secrets ensorcelants ?

De temps en temps, Mélédouman croit entendre les dieux protecteurs des foyers quand le touraco, bel oiseau des champs, emblème du trône, hésite à prendre son léger vol et à entonner son chant mélodieux et triste. Tout ici, jusqu'aux arbres, aux oiseaux, aux feuilles sèches, sur lesquelles les pieds jouent une symphonie immémoriale, assaille, sollicite la mémoire fragile de Mélédouman.

Bettié, ancien chemin des caravanes, «ancien chemin du sel», le sel de la terre et du ciel, le chemin des parfums d'antique, les sentiers aux senteurs désuètes, des dieux morts qu'on n'adore plus, mais auxquels on récite gravement des prières pieuses. Quelle ivresse mythique vos amoureuses ont semée dans l'histoire, parfum d'outre-tombe, pour que cette odeur légendaire parvienne à Mélédouman avec cette exquise présence, cette force envoûtante qui égare les pas, aveugle les yeux, ensorcelle les sens, fait chanceler l'intelligence, fourvoie l'âme, le cœur, au point de les faire chavirer dans un naufrage voluptueux et divin ?

Bettié ! C'est ici que Treich-Laplène, au fort de son aventure coloniale, a rencontré Benié Kouamé, roi soleil des Agni, fondateur de ce royaume. C'est lui, Benié Kouamé, qui avait guidé les pas encore incertains des explorateurs ivres de toutes les aventures, de toutes les passions, de toutes les gloires. Et c'est à cette place même, au sommet de cette colline jumelle de celle occupée par le commandant Kakatika, c'est dans ce lieu historique, dans ce palais à l'architecture géniale, aujourd'hui sous les décombres, que Nanan Benié Kouamé, écrasé par le poids de l'or qu'il portait, entouré de sa cour composée de savants, d'ingénieurs, de poètes, de philosophes, c'est dans ce palais chamarré d'or que Nanan Benié Kouamé reçut Treich-Laplène et Binger. C'est dans ce palais qu'il joua, contre ses dieux, le destin de son trône, des diadèmes et des couronnes royales. La beauté légendaire du site et du palais lui valut le respect et l'admiration des Blancs invités à sa cour. Jamais de mémoire d'homme de Bettié accueil et cérémonie ne furent aussi grandioses.

Il reçut ainsi plusieurs Blancs envoyés par le Roi de France pour rendre au Roi de Bettié un hommage mérité. C'est à l'occasion d'une de ces visites que l'un d'eux éprouva pour le jeune prince Mélédouman une amitié et une affection si profonde, une admiration si sincère pour la vivacité de son esprit et l'intelligence exceptionnelle dont il faisait preuve déjà, qu'il pria le Roi de bien vouloir lui confier son éducation en France. C'est ainsi que, bon gré mal gré, le jeune Mélédouman dut s'embarquer sur un bateau en compagnie de son admiratif et protecteur ami. Il dut voguer pour cette belle aventure, l'aventure d'un jeune Noir en France. Mélédouman sourit avec tendresse, s'assoit sur une grosse pierre pour mieux revivre les meilleurs moments de son séjour fructueux au pays des Blancs : ses études de philosophie à la Sorbonne, complétées par des études de droit, de lettres et d'histoire dans les autres universités.

Au retour, après ses diplômes, l'amour de sa terre, plutôt une passion, le fit renoncer à tout ce qui lui fut proposé. Son choix, son engagement fut de s'intégrer, s'enraciner le plus profondément possible dans son histoire, dans ses traditions, se pénétrer de sa philosophie. Quand on va étudier l'intelligence des autres, ce n'est pas pour abandonner la sienne, mais la doubler, la tripler, la quadrupler, la sextupler, la multiplier indéfiniment, fort de cet apport de l'autre. Quand on va étudier le génie des autres, ce n'est pas pour jeter par-dessus bord le sien, faire table rase du sien, mais au contraire, à partir de ce précieux emprunt, mettre au jour, édifier un nouveau génie, plus fécond, plus fertile, plus universel. Mélédouman bénéficia de cette chance unique : sur cette pierre, il est au grand carrefour et au moment le plus important de deux grandes voies.

Aux clapotis, aux cascades de la Comoé, se mêlent tant de souvenirs de son séjour en France qu'il croit voir en filigrane la Seine, l'ombre de Versailles, l'ombre de la France. Son grand-père Nanan Benié Kouamé pouvait-il deviner, malgré son génie politique, son intelligence légendaire, qu'en signant ce traité de paix, ce traité de protectorat avec Treich-Laplène et Binger, pouvait-il imaginer qu'en favorisant ainsi la colonisation du peuple agni en particulier et du peuple akan en général, il signait du même geste funéraire la condamnation à mort de son trône, de sa tradition, de son histoire, de l'épopée édifiée par lui-même avec tant d'intelligence, tant de persévérance, tant de sueur, tant de sang ? Pouvait-il deviner que la croix qu'il fit de sa main royale analphabète au bas de cette feuille était la croix du calvaire de son royaume, le viol de son peuple ? Pouvait-il deviner que cette plume était le poignard qu'il plantait mortellement en plein cœur de sa riche cité ? Cette cité, l'une des plus prospères dans tous les domaines : économie, sciences, art, culture.

Aujourd'hui, Bettié est l'ombre d'elle-même, ville fantôme, sans visage. Et ses ruines aux pieds de Mélédouman sont plus réelles, plus vivantes, plus humaines, plus actuelles, plus présentes, que cette ville bâtarde, orpheline, sans âme, née de père inconnu, sans âge, sans nom. Mélédouman, en tant que neveu et petit-fils du roi Benié Kouamé, fondateur du royaume, est l'héritier direct du trône, le dauphin par la loi de succession matriarcale. C'est un Dihié, un noble. Mais, à présent, il est l'héritier des ruines, d'un ciel vide, d'une terre à énigmes. Un héritage de labyrinthe, sans parole, sans signe et sans vie : des ruines, que des ruines ! Des vestiges, que des vestiges ! Des ruines et des vestiges, mais ô combien exigeants. Des vestiges et des ruines exigeants comme une amoureuse. Héritier des ruines, héritier des vestiges. Mais quels vestiges, quels épiques vestiges, des ruines grandioses et légendaires !

Mais quelle fortune, quel trésor ! Sa fortune, son trésor ! Il y tenait comme à la prunelle de ses yeux. Il aurait donné toute sa vie pour les restaurer, les ranimer, afin que leur splendeur antique devienne encore plus resplendissante que par le passé. Que n'a-t-il le pouvoir, la puissance du verbe divin ! Que ces ruines vivent ! Et elles se mirent de nouveau à vivre comme au temps de leurs fastes. Ruines, vestiges. Merveilleuses et divines ruines.

Merveilleux et divins vestiges, n'auriez-vous pas vu ma carte d'identité ? Vous qui avez un nom, qui avez pu traverser tous les siècles sans le perdre, ne seriez-vous pas en possession de ma carte d'identité ? Est-ce vous qui détenez le terrifiant secret de mon nom ?

Et toi, touraco, aux ailes chamarrées d'or et d'histoire, toi, touraco à la voix millénaire, toi, touraco, emblème du trône, symbole de la beauté, de la mélodie, de l'intuition, de l'intelligence insinuante, n'aurais-tu pas laissé tomber une carte d'identité comme l'une de tes plumes qui chatoient sous mes pieds ?

ANAN YA
(Vendredi sacré) *temple*
heritage

Ainsi qu'il l'avait décidé, Mélédouman participe aux cérémonies marquant la célébration rituelle du Vendredi sacré, Anan Ya, jour sacré entre les jours sacrés, dans le secret espoir, en pénétrant dans le sanctuaire de la maison sacrée du trône, de trouver sa carte d'identité. C'est la dernière chance.

La cérémonie sacrée du trône est constituée par un rite précis, rigoureux, minutieux, mis au point dans la nuit des temps. Ni le Roi ni les notables, sous risque de profanation, de sacrilège, n'ont le droit d'y changer le moindre geste. C'est l'occasion annuelle donnée aux rois et à la cour de rappeler à la conscience du peuple toutes les connaissances accumulées depuis la fondation du royaume jusqu'à nos jours. Ce rappel, œuvre sacrée, est fait, au cours de la cérémonie, par plusieurs personnalités qui assurent leur fonction par hérédité : depuis le verseur de gin qui doit rappeler sans se tromper, sous peine de mort, tous les rois qui se sont succédé sur le trône jusqu'aux batteurs des tambours sacrés, Attoungblan, Kinian-Kpli, N'do, sans parler des danseurs qui, par leurs gestes, lèvent quelques voiles sur le passé de ce groupe, tout est mis en œuvre pour ressusciter le passé, ranimer la mémoire collective. Ainsi, ni le verseur de gin, ni les batteurs, ni les danseurs ne sauraient improviser. Le batteur, le verseur de gin, le danseur sont des historiens, des savants aux connaissances encyclopédiques, aux mémoires immémoriales et infaillibles. Ce sont les archives royales.

Ensuite viennent les danses, toutes les danses, auxquelles succède l'offrande à la terre : la Fête des ignames pour remercier la terre de sa prodigalité.

L'apothéose de la cérémonie est l'adoration des chaises sacrées, le trône royal, l'origine même du pouvoir du roi, sa source spirituelle et temporelle, sa légalité, sa légitimité. Ce sanctuaire est le musée de la famille royale et du peuple. Après le règne de chaque roi, une fois terminées les funérailles, on dépose dans le sanctuaire la chaise sur laquelle le roi défunt s'est assis pour gouverner le royaume. Ainsi, on dénombre autant de chaises que de rois décédés.

Au centre de l'alignement des chaises et dans un coffret séparé, trône la chaise sacrée des chaises sacrées, la reine mère des chaises sacrées, la chaise sacrée fondatrice, celle sur laquelle le fondateur du royaume s'est lui-même assis. Quiconque se l'approprie s'approprie le pouvoir, ce qui explique le grand secret qui l'entoure.

Sur un autel mitoyen on compte également de petites chaises sacrées, des chaises vassales, celles des notables qui, à côté d'un roi, ont le plus contribué à la prospérité, à la gloire, au progrès des sciences, des arts, de la culture du royaume. Dans une pièce contiguë se trouvent, précieusement rangés, des éléments marquants de chaque règne : repères qui permettent aux initiés et aux spécialistes, en un clin d'œil, de tout dire sur chaque règne.

En pénétrant aujourd'hui dans ce sanctuaire, Mélédouman sent un étrange frisson traverser tout son corps. Il frôle au passage, dans la salle des reliques, le boubou magique de son grand-père. Son grand-père, Nanan Bénié Kouamé, un guerrier glorieux, intrépide, invaincu. Son courage légendaire n'avait d'égal que son intelligence, son sens de l'organisation, de la justice. C'est lui qui avait signé le traité de paix et de protectorat avec Treich-Laplène et Binger. Il permit ainsi aux Français de barrer la route aux Anglais qui, après la conquête du Ghana, convoitaient le sud de la Côte d'Ivoire.

Avec ce boubou, rapporte l'histoire, il pouvait d'une part se rendre invisible aux ennemis, et d'autre part passer au travers de toutes les fusillades, surtout les plus furieuses. Ce n'est pas une légende, ce sont des faits qui se sont réellement passés ; puisque ce boubou est conservé comme une relique, il doit y avoir certainement une raison. Son grand-père possédait des objets plus beaux, plus précieux que ce boubou qui n'a rien d'une œuvre d'art. Pourquoi l'avoir, lui, conservé avec ce soin, ce respect, cette vénération ? Pourquoi ce boubou apparemment quelconque a-t-il pu, lui seul, passer si brillamment, si glorieusement l'épreuve du temps, l'effrayante épreuve du temps ? Il faudrait tout de même que les faits d'apparence légendaire, surnaturelle, fantastique qui lui sont attribués, à défaut de certitude absolue, possèdent un fort coefficient de probabilité. Mélédouman mesure l'étendue de ses pertes. Si ces faits sont pour le Blanc des histoires à dormir debout, si de misérables charlatans, en mal d'escroquerie, exploitent les pauvres types crédules, il est indéniable qu'on trouvait, parmi les anciens, quelques cas très sérieux de ceux qui détenaient un pouvoir, un pouvoir surnaturel qui leur permettait de réaliser des exploits, des choses miraculeuses, dont hélas, de nos jours, on a perdu la mémoire, un pouvoir fondé sur une connaissance profonde des lois de l'univers.

Sciences perdues de nos pères, sciences du pouvoir et de la puissance, à qui faut-il s'adresser pour retrouver les formules précieuses à jamais enfouies ? Chaque peuple étudie un secteur de l'immense univers. Le Blanc a étudié la nature, tentant de pénétrer le plus profondément ses lois pour en être maître et possesseur. Il n'est pas stupide de penser que le Noir a essayé, lui, de s'enfoncer le plus profondément possible dans la connaissance de la surnature, pour en connaître également les lois et en être maître et possesseur. Ce qui explique pour les profanes, les non-initiés, toutes les histoires aberrantes, incroyables, absurdes, irrationnelles sur les fétiches, les sorciers, les masques, les gris-gris, les philtres d'amour, les djibo et leur pouvoir ; car, de fait, si l'échec était total, pourquoi la persistance de cette science à travers l'histoire ? Et, chose curieuse, chez les peuples qui se disent rationalistes, qui ont poussé l'esprit scientifique au plus haut degré, cet autre esprit persiste. Laissera-t-on enfouie cette science, la science de la surnature ? Elle doit posséder ses théories, ses théorèmes, ses axiomes, ses lois avec la même rigueur théorique et des applications pratiques à l'exemple de la science de la nature. Et tous ces savants, tous ces sombres pionniers, les héroïques pionniers de cette science, au lieu d'un revers de manche méprisant, au lieu de les traiter par ignorance d'ignorants, de farceurs, l'on ferait mieux de les interroger, de suivre auprès d'eux leur précieux enseignement. Car enfin, que connaît la science de la nature sur la nature, rien, à plus forte raison, que connaît-elle sur un domaine aussi exceptionnel ? La science de la nature est encore trop jeune pour affronter un domaine aussi nouveau. Le problème doit seulement être posé scientifiquement. En effet, si l'on considère la science non dans sa méthode, mais dans ses résultats, elle a dépassé l'imagination la plus folle du magicien ; la science dans ses résultats est plus magique que la magie : une magie qui prouve, une magie à preuves, voici la grande différence. Qui sait si les faits que nous constatons ne sont pas les résultats d'une méthode secrète, une méthode ignorée qu'il faudrait découvrir précisément à partir du résultat ? Mélédouman se pose sérieusement la question et souhaiterait qu'on l'entende. Est-ce qu'on allait laisser disparaître toute cette connaissance par mépris, par ignorance de nous-mêmes ?

Ô Boubou sacré, boubou relique au pouvoir surnaturel de mon aïeul, livre-moi ton secret, ton surnaturel secret, ton terrifiant secret, le secret de ta puissance, le secret de ta force. J'ai besoin de ta force, de ta puissance pour retrouver mes yeux perdus, pour retrouver ma carte d'identité égarée. Ô Boubou guerrier de mon guerrier grand-père, à quelle raison, quelle logique obéis-tu ? J'ai besoin de ta force. Me voici aujourd'hui vaincu, humilié, faible, malade. Et toi, Nanan Bénié Kouamé, chaise fondatrice de mes fondations, chaise fondatrice de mon existence, de ma liberté, de ma carte d'identité, de mes yeux, de ma vue. Je suis venu ici, près de vous, pour chercher ma mémoire oubliée. Ne l'ai-je pas égarée, là-haut, entre les toiles d'araignée archéologiques ? Et toi, sceptre chamarré d'or, quel message m'envoies-tu ? J'ai tant marché en compagnie de ma petite-fille fidèle Ebah Ya ! De mon fidèle miroir ! Et nous sommes au bout de ce peuple, au bout de ce périple dans le monde étrange des enfants mariés, des vieux au visage d'ange qu'on porte sur le dos. Où aller maintenant ? Et vous, Attoungblans sacrés, vous, Kinian-Kpli, royal tambour aux voix de panthère, de lion, vous, tambours aux barrissements foudroyants, tambours aux voix de tonnerre, quel cri lancez-vous aujourd'hui ? Tam-tam sculpteur, tam-tam scribe, tam-tam archive, tam-tam bibliothèque, quelle lecture faites-vous aujourd'hui ? Quelle nouvelle écriture sacrée avez-vous envie de laisser à la postérité, à nos petits-enfants ? Batteur, quelle nouvelle page de gloire es-tu en train d'écrire, afin que demain, ton visage emperlé de sueur et de sang retrouve l'éclat primordial de ta beauté d'antan ? Batteur écrivain, quelle trace, quel signe es-tu en train de laisser dans l'air, dans le vide, dans l'immense ciel illisible déjà embrasé du feu sacré de tes yeux en flammes ? Tam-tam au langage de l'effroi, que dites-vous ? Frappez plus fort vos lettres de gloire. Je suis sourd, aveugle, manchot, boiteux. Je suis devenu étranger chez moi, je ne sais plus où j'habite, j'ai perdu le chemin de ma maison. J'ai tout perdu, jusqu'à mon nom, jusqu'au nom de ma famille, de mon père, de ma mère. En perdant ma carte d'identité, j'ai perdu mon identité. Moi, Mélédouman, je suis au bout de la nuit, au bout de mon peuple, de ses souffrances, de ses douleurs, de ses doutes. Moi, Mélédouman-torture. Quelle torture plus grande que de tout perdre, à mon image ? Quelle étoile ludique traverse ainsi ironiquement le ciel pour se jouer de mes yeux nocturnes tâtonnants ?

Ô chaises sacrées de mes pères, je suis venu vous adorer, vous interroger. Vous, génies de ma race, génies de mes eaux, génies de mes terres, génies de mon ciel, génies de mon peuple, génies millénaires qui avez gardé dans un vase de kaolin sacré mon nombril, le nombril de ma famille, le nombril de mon peuple.

Ô vous, génies du génie de mon peuple, quel sacrifice à ce jour cérémonieux, solennel, grave, à ce jour sacré, faut-il vous offrir pour mériter le pardon de toutes mes offenses, de tous mes outrages : d'avoir perdu confiance en vous ? J'avoue qu'à certains moments, j'ai perdu confiance en vous. Mais en qui ai-je maintenant confiance ? En qui ai-je foi aujourd'hui ? Peut-on vivre sans foi, ni confiance ? Sans foi, ni confiance en personne, et chose plus grave, en soi-même. Alors, yaki, yaki, pardon, chaises sacrées, chaises divines au pouvoir divin. Voici ma bouteille de gin, voici, de chaque main, deux poulets immaculés ; acceptez ces humbles et indignes offrandes. Chaises miséricordieuses, accordez-moi le pardon. Bénissez désormais le nouveau chemin que je vais devoir emprunter, mais donnez-moi un nom, digne de votre mémoire digne, profanée, bafouée, humiliée, niée. Acceptez, de mon champ, ce bouquet de nourritures cueillies de ma terre, de votre terre, bananes, taros, manioc, ignames : plantes sacrées, piments, gombos, aubergines, gingembre.

Du sel, de l'encens, de l'huile rouge, couleur sang, veuillez accepter cette modeste offrande, trône sacré de mes ancêtres. Je reviens à vous après ce voyage, ce long voyage au bout de tout, de toutes les contradictions, de tous les paradoxes du réel et de l'irréel : cauchemar, rêve, nuit, soleil, espoir, désespoir, doute, certitude, vérité, mensonge, joie, tristesse, bonheur, malheur, amour, haine, fidélité, trahison, courage, lâcheté, opulence, faim, soif, santé, maladie, ignorance, sciences, force, faiblesse, gloire, humiliation, pauvreté, misère, richesse, fortune. Chaises sacrées de mes grands-pères, acceptez donc après ce voyage, ce très long voyage, de mes mains harassées, mon sang cueilli dans ce vase de kaolin immaculé, argile sacrée par sa blancheur sans tache. Acceptez donc ce sang, mon sang, quel autre sang pourrais-je vous offrir en sacrifice, vous donner en offrande, si ce n'est le mien, mon sang sacré, ce sang sacré que vous m'avez donné, reprenez-le pour ma liberté, pour ma libération. Vous qui savez tout, vous qui possédez la connaissance absolue, parce que vous êtes au pays de la vérité absolue, vous n'ignorez point que je suis en liberté surveillée, avec, aux poignets, les souvenirs encore pesants et lourds des menottes et des chaînes, raison de l'inélégance de ma démarche, du chemin serpentant de ma marche.

Je suis un prisonnier, un drôle de prisonnier aux chaînes invisibles, mais un prisonnier, un prisonnier tout de même.

Et vous, femmes en transe ! Vous qui voyez notre

monde avec une double vue, avec quatre yeux, six yeux, huit yeux ! Vous, dites-moi votre étrange message. Femmes folles de vérité, que dit le monde des abîmes ? Que dit le monde des cimes ? Dites-moi, femmes en transe, dites-moi comment décoder vos corps-messages, afin que je puisse communiquer avec ce monde invisible que vous voyez avec cette clarté fébrile. Femmes en transe aux yeux rouges de piment, aux yeux hagards de drogué, quelle paix m'apportez-vous ? La paix de la liberté, la paix de la justice, la paix de la dignité, ou bien l'inquiétude de l'âme inapaisée, du cœur palpitant, du désir inassouvi ? Parlez, je vous écoute. Pour vous regarder, j'ouvre grands mes yeux aveugles. Et toi, musique sacrée, musique endiablée du jour sacré, musique sacrée d'Anan Ya qui accompagne le danseur sacré et ses pas sacrés, les pas félins et légers de la danse de la panthère sacrée. Ô toi, danseur qui marches sur la terre, avec la précaution de celui qui marche sur l'eau, de quoi as-tu peur ? As-tu peur de te noyer dans l'onde sacrée de notre passé ondoyant ? Ou bien, as-tu peur de te noyer dans le fleuve embrasé de ta sueur d'or ? Visage qui perle : je te cueille pour un collier de perles, un collier de sueur et de sang pour ceindre ma fiancée au jour de nos nouvelles noces, avec la vie, avec l'histoire, notre histoire d'amour, reconstituée des ruines de la haine. Perle scintillante, sur le front altier du danseur, je te cueille pour sertir la couronne qui auréole ma tête tant de fois baissée à terre qu'elle a failli s'y enraciner, si la nostalgie tenace des cimes ne lui avait rappelé son destin d'aigle des hauteurs.

Trône sacré de mes ancêtres, donnez-moi la force de suivre ce peuple mien enchaîné jusqu'à la déchirure du tambour libérateur, jusqu'à la rupture du talon, des chaînes de montagnes qui barrent le chemin de l'ascension vertigineuse vers la liberté escarpée. Donnez-moi la force de lutter et de vaincre avec ce peuple de vermine qui guerroie dans les moindres plis de son visage sombre. Pieds de danseur sacré, mains-archives, mains-écriture, à quelle page de notre grand livre vierge ouvert se trouveront les mots : liberté, libération et justice ? Premiers mots de ma carte d'identité.

Nom : Libération
Prénom : Liberté
Fils de : Justice
Et de : Dignité
Né à : Création - Invention - Découverte
Âge : Science-Lumière

ANAN FOUÈ
(Samedi sacré)

Aujourd'hui, c'est le jour et c'est le dernier jour de notre infructueuse et périlleuse recherche. Ma petite Ebah, ma petite Ya, ton nom s'accorde bien avec Yalé, souffrance : oui, il va falloir retourner en prison, et cette fois-ci, avec un peu de chance, la grande chance de Mélédouman : y rester pour toujours. Le vieux Mihouléman (*« je ne suis pas encore mort »*), l'adorateur des chaises, le gardien du lieu sacré, prétend avoir vu lors du ménage, avant la cérémonie, un papier rectangulaire qui traînait près du sanctuaire. Il n'y avait, bien sûr, prêté aucune attention particulière : il l'a balayé. Les recherches effectuées dans les poubelles, parmi les ordures, malgré leur minutie n'ont donné aucun résultat. Était-ce la carte d'identité ? Le vieux Mihouléman fit remarquer qu'il n'y avait pas de photo sur cette carte. Il y a tant de cartes. Une carte d'identité sans photo ? Ce n'est pas possible, à moins que la photo ne soit enlevée. Mais quelle est cette carte rectangulaire ? Quelle carte peut bien traîner dans ce lieu sacré strictement interdit aux profanes ? Tout contrevenant risquant de voir son sang gicler sur les chaises sacrées, peu de personnes prennent le risque de s'y promener. Quelle était donc cette carte rectangulaire semblable à une carte d'identité ? Troublant, vraiment troublant.

- Ebah Ya.
- Nanan.
- Il va falloir y aller.
- Oui, Nanan, mais, Nanan, tes yeux, tu ne les as pas soignés.
- Ma petite Ebah ! Heureusement que tu es là, j'ai failli l'oublier. Allons chez le vieux Ahilé-Kpli, mon guérisseur préféré.
- Mais, Nanan, et le dispensaire ou l'hôpital ?
- Ah ! la médecine des Blancs, elle n'est pas mauvaise. Quand j'étais en France, elle m'a sauvé plus d'une fois, mais ma préférence va nettement au vieux docteur traditionnel Ahilé-Kpli. Celui-ci s'occupe mieux de vous, un début d'amitié s'installe entre vous. Il soigne aussi bien votre cœur malade que votre corps. Or, toute maladie a pour origine un microbe qui vient du cœur. Soigner le corps sans s'occuper de cette âme fragile, de ce souffle frêle, c'est jouer avec le malade. En effet, une fois guéri, le cœur délaissé suppure dans le silence de la santé tant et si bien que la maladie réapparaît ailleurs, impitoyable. La médecine des Blancs n'a pas le temps de soigner le cœur, vous êtes en file indienne comme pour le salut chez le Roi : chacun a juste le temps de la révérence, de serrer la main et hop ! au suivant.
- Mais, Nanan, avec les machines !
- Bien sûr, avec les machines, on effectue des analyses, ce qui permet de savoir avec exactitude de quoi le malade souffre, de choisir les remèdes qui conviennent. Mais il y a surtout la chirurgie. Ah ! la chirurgie : ça, c'est sérieux. C'est la partie la plus efficace de la médecine des Blancs. C'est l'efficacité de cette partie qui est à l'origine du prestige, de la supériorité de la médecine des Blancs sur la nôtre. Sinon, au point de vue de la connaissance des plantes, les médecins blancs doivent s'incliner humblement devant la perfection, la profon-

deur de l'art de nos médecins traditionnels, pour ce qui est des maladies de chez nous. Le commandant Kakatika lui-même, combien de fois, après l'impuissance de son docteur blanc, n'a-t-il pas recouru aux docteurs traditionnels pour son salut ?

- Nanan, je comprends, je comprends très bien.

- Maintenant, il va falloir, ma fille, après mes soins, retourner chez le commandant Kakatika.

- Nanan, n'y va plus, cette fois-ci, ils sont capables de te tuer. Que vont-ils encore te faire ? Mille tortures. De cruelles et méchantes tortures. Nanan, j'ai peur, très peur.

- On verra bien, de toute façon, il faut qu'on y aille. On ne fuit pas le ciel : partout où tu passes, il est au-dessus de ta tête. Comment peut-on fuir son ombre ? Elle vous suit partout. *La seule solution, c'est de l'affronter, de regarder la situation en face, bien en face. Je ne veux pas passer le reste de ma vie à fuir, à fuir les autres, à me cacher dans la forêt, à tressaillir au moindre craquement de feuilles sèches, parce que traqué de l'extérieur et de l'intérieur. Je ne veux pas et ne peux pas passer le reste de ma vie à me terrer dans un trou comme un rat, à mener une vie de taupe menacée par la fumée. Non, je ne suis pas l'homme de la fuite, mais du front. On ne vit qu'une fois, on ne meurt qu'une fois. Quiconque revendique la totale liberté, la liberté entière et pleine, revendique dans ce même geste, privilège des dieux, la totale responsabilité, la responsabilité entière et pleine. Quoi qu'il m'en coûte, il faut que j'y retourne, j'ai donné ma parole d'homme libre, j'accomplirai l'acte d'homme responsable. Seul l'esclave qui a un maître a peur : je ne veux ni avoir d'esclave ni avoir un maître.* Non, ma petite Ya, n'aie pas peur. Nous devons y aller.

ANAN MORÈ
(Dimanche sacré)

- Bonjour, mon commandant.
- Bonjour, Nanan Mélédouman.

Quelle surprise agréable de vous revoir ! Je vous attendais depuis une semaine. Dans une toute petite seconde, je vous reçois, dit Kakatika en rentrant dans son bureau.

- Mais, mon commandant, vous m'aviez bien donné une semaine. C'est aujourd'hui qu'elle prend fin, répondit Mélédouman qui croyait percevoir dans la réponse du commandant Kakatika une menace voilée. Avec les commandants, on ne sait jamais.

En fait de surprise, Mélédouman en a une de taille : le nouveau langage et le nouveau comportement presque obséquieux du commandant Kakatika. Était-ce une méchante ironie ? Sinon, que cela voulait-il bien dire ? Pourquoi, aujourd'hui, pour la première fois, le commandant Kakatika l'appelle Nanan et le vouvoie ? Et, chose encore plus curieuse, à peine croyable, dès son arrivée, tous les gardes se sont levés, se sont mis au garde-à-vous, pour le saluer respectueusement. Tous les gardes, sans excepter ceux qui l'ont torturé hier, y compris le cruel Gnamien Kpli, tout cela était bien étrange. Quelle est cette bouffonne mise en scène ? Quelle est la signification de ce changement si total dans la conduite de tous ces hommes à l'égard de Mélédouman ?

Un garde s'approche de lui en faisant force révérences. S'étant mis presque à genoux, il le supplie :

- Nanan, pouvez-vous me confier votre miroir ?

Préoccupé par toutes ces questions, sans y prendre garde, il se déleste de son précieux miroir. C'est à ce moment précis que le commandant Kakatika revient pour l'inviter à entrer. Il le précède dans son bureau où les attendaient deux fauteuils luxueux. Même la petite Ebah Ya fut l'objet de toutes les prévenances.

Elle était prévue dans cette inattendue cérémonie d'accueil, comme en témoignait un fauteuil à sa taille, mais non moins luxueux. Mélédouman reste impassible. Seule le préoccupait la réponse à ses interrogations.

- Nanan, nous allons vous présenter nos excuses les plus sincères sur cet incident regrettable. Dès que vous êtes parti, nous avons retrouvé votre carte d'identité. Vous savez, ce genre d'erreur peut arriver. Nul n'est infaillible et l'erreur est humaine.

- *Ah ! C'est donc ça toute cette comédie !*

Mélédouman était si stupéfait qu'il ne répondit au commandant que par le silence, un silence tellement lourd qu'il dut peser sur les galons du commandant Kakatika, lequel machinalement cherchait à s'en débarrasser. Vingt fois, du revers de sa manche, il nettoya ses galons d'un geste nerveux et rapide. Aucune mouche pourtant ne s'y trouvait pour justifier cet acharnement. Vingt fois, il changea son casque colonial de place. Vingt fois, il rangea son bureau, chaque objet changea vingt fois de place sans explication. Vingt fois, il jeta un coup d'œil furtif sur l'impénétrable, l'énigmatique Mélédouman. En plus de ses yeux, aurait-il perdu la langue ?

- Mais enfin, Nanan, dites quelque chose, je ne sais pas, moi.

Toujours ce silence pesant, insupportable, et ce regard de feu qui brûle, qui fait mal. Le regard insupportable, le regard embrasé d'un aveugle. Qui saura jamais dire le secret de Mélédouman ?

- Oui, Nanan, voilà, l'erreur provient d'un de mes gardes. Il avait ramassé votre carte d'identité je ne sais où. On a cru y déceler des ratures. On a donc cru à une falsification, faux et usage de faux, c'est très grave, d'une part, et d'autre part, le nom était quelque peu effacé.

Pour s'en assurer, on a voulu vous demander votre carte d'identité. Ainsi, ou vous aviez la vôtre et ce n'était donc pas elle qui était falsifiée, ou vous ne l'aviez pas et les soupçons de falsification se transformaient en certitude. Mais après votre départ, par une vérification plus approfondie, on a réalisé que c'était bien la vôtre. Ce qu'on croyait être une falsification n'était en fait que l'effet de la pluie qui a dû la mouiller. Alors, Nanan, voilà, la responsabilité en incombe entièrement à l'administration.

Après l'explication embarrassée du commandant Kakatika, preuve concrète s'il en fut du renversement total de la situation et des rôles, Mélédouman daigna répondre :

- Ainsi, vous m'aviez arrêté pour avoir falsifié ma carte d'identité ?

- Oui et non, à vrai dire.

- Ou c'est oui, ou c'est non.

- Eh bien, voilà ! C'est très difficile à trancher, ce n'est pas si simple, c'est assez complexe.

- Et pourquoi ne m'aviez-vous pas répondu lorsque je me tuais à vous poser la question ?

- Ce n'était pas le moment.

- Ce n'était pas non plus le moment quand vous m'aviez dit d'aller chercher ma carte d'identité alors que vous l'aviez ?

- C'est une erreur justement, et on le reconnaît.

- C'est trop facile. *Primo,* si vous reconnaissez que l'erreur est humaine, pourquoi n'aviez-vous pas accepté que j'en fasse une ? *Secundo,* vous arrachez ma carte d'identité, vous la confisquez. Au reste, il ne saurait planer dans mon esprit l'ombre d'aucun doute que c'est vous qui l'aviez falsifiée.

Tertio, sous menace de mort, vous me demandez de la produire. Bien évidemment, j'en suis incapable, puisque c'est vous qui l'aviez. C'est l'histoire bête « va voir derrière la porte si j'y suis ». A cause de cette situation que vous-même aviez créée, vous me soumettez à toutes les tortures : toutes les affres de la torture, de la mort, vous m'enchaînez, vous me mettez en prison. Au bout du compte, vous reconnaissez votre erreur, vous me présentez des excuses, mais entre-temps, toute la casse, cette monstrueuse casse, qui paiera la note ? Moi ou vous ?

– Écoutez, Nanan Mélédouman, quelle que soit la justesse de votre raisonnement, qu'est-ce que vous voulez que nous fassions à présent ? Une erreur est une erreur. On peut citer des cas d'erreurs judiciaires où les innocents sont exécutés avant la reconnaissance de leur innocence, leur réhabilitation à titre posthume.

Qu'a-t-on fait ? Rien. A-t-on pu ressusciter ces morts, remettre sur les cous les têtes coupées ? Non. Alors, c'est déjà assez beau que l'erreur soit reconnue et la vérité rétablie. Quant à la grave accusation de falsification de votre carte d'identité, dans quel intérêt aurais-je agi aussi bassement ?

– Bien sûr, c'est déjà assez beau, je vous le concède. Mais il y a des beautés abîmées, des beautés saccagées, des beautés falsifiées, des beautés enlaidies qui ne retrouveront jamais leur beauté. Ainsi, ma mémoire meurtrie, mon corps meurtri, et mon cœur qui saigne encore. Et mes yeux, qui me soignera ? Qui me guérira ? Qui me fera sortir par la main de ce monde de la nuit dans lequel vous m'avez précipité ? Et toutes les cicatrices indélébiles qui zèbrent mon corps ? Tous ces beaux petits serpents lovés dans chaque pli de ma poitrine lézardée qui enfoncent, à chaque seconde, leur venin par petits jets, jusqu'à ce que mort s'ensuive ? Avec quel talon de fer écraserai-je leurs têtes perfides ?

— Nanan Mélédouman, vous avez raison, mille fois raison, mais qu'est-ce que vous voulez, encore une fois ? Pour ce qui concerne vos yeux, ne vous en faites pas, nous avons de très grands ophtalmologues en France. Ce sont de grands chirurgiens, compétents, qui vous guériront, j'en suis persuadé. J'ai donc bon espoir qu'un jour vous reverrez la lumière du jour, les merveilles de la nature. Je souhaite et prie mes dieux à moi, mes génies à moi, qu'avec votre carte d'identité, vous retrouviez un jour, que je souhaite le plus proche possible, l'usage de vos yeux.

— J'ignore quel sentiment vous voulez faire naître en moi en me faisant cette proposition : certainement pas de la reconnaissance. Je réalise que vous avez de la passion pour ces beaux rôles faciles ; la générosité gratuite : vous mettez le feu chez les autres, ensuite, vous venez jouer aux pompiers humanistes pour l'éteindre. Et vous êtes surpris, désagréablement surpris, semble-t-il, de lire dans les regards indignés non la gratitude souhaitée, mais la légitime colère, la légitime fierté : c'est vraiment tendre et touchant. On aurait envie d'en rire si la gravité et le tragique de la situation ne commandaient le sérieux. Non, je vous remercie, mon commandant. J'ai, chez moi, des ophtalmologues aussi compétents que les vôtres et qui soignent les yeux aussi bien. Avant que l'acajou ne soit abattu, pour offrir à la biche son feuillage en guise de gîte, celle-ci s'abritait quand venait la pluie, et dormait quand venait la nuit. Dans bon nombre de maladies, nos docteurs en savent aussi long que les vôtres. Vous-même avez quelquefois recouru à leur science pour vous tirer d'un mauvais pas après l'échec du docteur blanc de Bettié. Je sais de quoi je parle : j'ai cette chance de pouvoir comparer en connaissance de cause pour la bonne et simple raison que je connais la France : j'y ai vécu, j'y ai étudié...

- Que dites-vous là ? Alors, là, je tombe des nues... mais, ce n'est pas possible. Vous avez fait la France, vous avez fait la France, vous y avez vécu et vous y avez même étudié, qui l'eût cru ? Et pourtant, j'aurais dû m'en douter. M'en douter dès notre premier contact. Que je suis bête ! Quel crétin je suis ! Voici donc la clé de l'énigme ! Maintenant, j'ai votre identité complète, oui, votre identité complète... mais, bien sûr, c'est simple, il fallait y penser. Il a fait la France ! Il a fait la France ! Un Noir dans cette brousse, dans cette forêt, qui raisonne comme vous le faites doit avoir un grand secret en lui-même. C'est donc ça ! Mais bon dieu de bon dieu ! Pourquoi ne m'aviez-vous pas dit cela dès notre première rencontre ? Cela vous aurait...

- Pourquoi vous le dire ? D'abord, vous ne me l'aviez pas demandé, ensuite, je n'en vois pas l'importance.

- Mais si, moi je la vois. On ne peut tout de même pas traiter un intellectuel, un monsieur qui a étudié en France, comme on traite un vulgaire paysan !

- Un vulgaire paysan, un vulgaire paysan ! Mais qu'est-ce que vous croyez donc ? Quelle différence y a-t-il entre un vulgaire paysan et un intellectuel-qui-a-fait-la-France ?

Si les paysans sont vulgaires, c'est le résultat de leur exploitation. La vulgarité n'est pas héréditaire, n'est pas un fait transmis de père en fils. Les paysans ne sont pas incultes. On trouve parmi eux des génies que bien des riches seraient fiers de mettre au monde. Alors, qu'est-ce que c'est que ce mépris ? Quant à leur ignorance, ignorer la culture française n'est pas être inculte. Tout homme qui possède la totalité de la culture, la totalité du niveau de connaissances, du niveau technique de son groupe, de sa société, n'est ni ignorant, ni analphabète, ni inculte. Vous êtes analphabète pour l'état des connaissances de la culture chinoise, par exemple. On est toujours ignorant, analphabète et inculte par rapport à quelque autre société. Vous-même, vous êtes inculte par rapport à la culture africaine.

Alors les termes ironiques de «charabia», «petit nègre» donnés au français que parlent les Noirs qui n'ont pas eu la chance de fréquenter l'école française n'ont aucun sens. Comment voulez-vous qu'un Noir, qui a sa langue maternelle, sache parler le français sans jamais l'avoir appris ?

Quels que soient sa bonne volonté, son intelligence, son talent et son génie, avouez que ce n'est pas de la dernière facilité.

- Nanan Mélédouman, vous êtes vraiment un personnage curieux. Voici un homme de cette intelligence, de cette qualité, de cette famille noble, royale même, qui a étudié, avec une culture exceptionnelle pour un Noir, voici donc un homme qui a tout pour réussir une carrière brillante, et qui choisit l'échec, qui choisit les gens qui n'ont rien à voir avec lui, c'est vraiment dommage, et...

- Vous voudrez bien accepter mes excuses, mais nous n'avons pas les mêmes conceptions de ce qu'on pourrait appeler la réussite sociale.

- Enfin, chacun a droit au respect de son opinion.

Quant à moi, après notre mémorable et affreuse discussion, je me suis bien douté de quelque chose, de l'anomalie de votre situation, mais je ne sais pas pourquoi je n'ai pas vu ce qui était sous mes yeux, pourquoi je ne suis pas allé au bout de cette hypothèse. Vous n'êtes pas un vulgaire paysan, vous n'êtes pas comme les autres. Vous avez fait la France, vous avez étudié. Maintenant que j'y pense, c'est la seule et unique raison.

Quoi que vous pensiez, comment voulez-vous qu'un paysan de cette forêt, de cette brousse, puisse tenir le raisonnement et les propos qui sont les vôtres ?

- Je vous remercie du compliment. J'ignore pour qui, très sincèrement, vous me prenez, mais moi, je sais pour qui je me prends. Je me considère très humblement comme une part active, dynamique, vivante de mon peuple. C'est sa volonté que j'ai exécutée en allant avec un inconnu en France pour mon éducation, pour étudier. Car, contrairement à vos rois, les nôtres exécutent en tous points la volonté du peuple, faute de quoi ils sont immédiatement détrônés par le conseil des notables.

C'est donc moi qui ai besoin de mon peuple et non lui qui a besoin de moi. C'est moi qui ai besoin de respirer au même rythme que son cœur, de sentir battre le mien en harmonie avec le sien. Il faut donc que cesse le prétentieux raisonnement selon lequel le peuple a besoin de ces faux savants, qui n'ont qu'une seule idée : utiliser les diplômes acquis on ne sait comment pour impressionner, s'imposer, mieux exploiter la masse, le peuple, leur peuple, leur masse, pour participer avec succès à tous les complots tramés dans l'ombre, contre le peuple. Le peuple n'a besoin de personne : il se suffit à lui-même. Sa libération, sa liberté, dépendent de lui et de lui seul. Avec une patience de pierre, il attend, certain de sa victoire finale. Il attend que les opportunistes, les charlatans, les vampires assoiffés de son sang exécutent leur danse macabre jusqu'à épuisement. Alors, seulement alors, il intervient pour faire vomir à ces gloutons tout ce qu'ils ont avalé dans leur sordide panse de sangsue. Vous voyez bien que c'est moi qui ai besoin de mon peuple. C'est moi qui l'ai quitté et qui dois revenir occuper la chaise vide qui m'est réservée, afin qu'ensemble, nous envisagions le chemin à suivre. Qui peut marcher plus vite que le peuple ? Il est toujours au-delà de l'endroit où on le cherche. Aller ailleurs, c'est revenir multiplier les yeux, les pieds du peuple et non point l'aveugler par des mensonges, par de fausses lumières. Voilà pourquoi il n'est pas nécessaire de clamer sur tous les toits que j'ai fait la France.

Vous m'aviez injustement attaqué en me prenant, comme vous dites, pour un vulgaire paysan : je me suis défendu comme un intellectuel.

L'intellectuel n'est rien s'il ne vit pas entièrement dévoué à la cause de son peuple, s'il n'est pas une part de ce peuple, rien qu'une part, une part embrasée, mais une part tout de même, une part intégrée puisqu'au centre, mais une part sans privilège, sans honneur particulier. C'est cela être un intellectuel pour un peuple soumis, humilié, bafoué, exploité, asservi : se fondre au sein de son peuple au risque de s'y perdre.

- Nanan Mélédouman, j'avoue avoir toujours eu de la sympathie pour vous. Aujourd'hui je ne sais quel nom donner à cette sympathie. J'aurais voulu tant vous comprendre, vous aider, vous aimer même...

J'ose espérer seulement qu'il n'est pas trop tard...

- Laissez-moi caresser le même vœu... Que dire ?

Sinon qu'à la volonté de domination, à la volonté d'exploitation éhontée, qu'à la violence permanente institutionnalisée qui permet, sans raison valable, d'arrêter n'importe qui, n'importe comment, n'importe où, fasse enfin place une vraie amitié fondée sur le respect réciproque, la liberté totale de chacun.

Il faut que chacun soit maître chez lui, puisse jouir de toutes ses richesses, puisse vivre selon les lois internes de sa propre histoire.

Au crépuscule, venu le repos après les tâches quotidiennes, harassantes, qui nous font mériter le pauvre nom d'homme, d'homme libre, d'homme digne, d'homme véritable, que chaque peuple, en regardant dans son propre miroir, retrouve sa propre image, son image pure, chaste, sans falsification.

Voilà, mon frère Anoh Asséman, nous revenons de loin,
De toutes les affres de la mort
De la souffrance et de l'injustice
Mais aujourd'hui nous avons
Retrouvé notre identité.
Avec quel vase sacré la protéger
Désormais ?
Dans le sanctuaire de notre sang.
Quelle vestale veillera sur cette aube fragile
Qui point ses rayons encore chancelants ?
Mais une chaleur si douce à mes flancs
Espoir, mon Espoir, mon bel Espoir
Avance dans la tiédeur matinale de ma paume crucifiée
De mes pieds crucifiés,
De mon cœur crucifié,
Avance, ineffable lueur.
Anoh Asséman, mon frère
Ebah Ya, ma petite féconde
Attisez le feu pour notre survie,
Augmentez la chaleur, que la lumière aveugle mes yeux retrouvés,
Mes beaux yeux de lynx.
Que les couleurs éclatent pour fêter mon retour à la lumière,
A la vie
Après la traversée de cette
Douloureuse
Affreuse
Nuit.

COLLECTION MONDE NOIR POCHE

COLLECTION MONDE NOIR POCHE JEUNESSE

Achevé d'imprimer par Mame Imprimeurs
à Tours
N° d'imprimeur : 02072172
Dépôt légal : 25826 - Juillet 2002